D1536680

Désenclaver la démocratie

Des huguenots à la paix des Braves

Désenclaver la démocratie

Des huguenots à la paix des Braves

Geneviève Nootens

CRÉQC
CHAIRE DE RECHERCHE DU CANADA
EN ÉTUDES QUÉBÉCOISES ET CANADIENNES

QUÉBEC AMÉRIQUE

Données de catalogage avant publication (Canada)

Gagnon, Alain-G. (Alain-Gustave)
Désenclaver la démocratie : des huguenots à la paix des Braves
(Débats)
Comprends un index.
ISBN 2-7644-0362-3
1. Démocratie. 2. Mondialisation. 3. État. 4. Nationalisme. I. Nootens, Geneviève. II. Titre.
III. Collection : Débats (Éditions Québec Amérique).
JC423.G33 2004 321.8 C2004-941684-7

Nous reconnaissons l'aide financière du gouvernement du Canada
par l'entremise du Programme d'aide au développement de l'industrie
de l'édition (PADIÉ) pour nos activités d'édition.

Gouvernement du Québec – Programme de crédit d'impôt pour
l'édition de livres – Gestion SODEC.

Les Éditions Québec Amérique bénéficient du programme de subvention
globale du Conseil des Arts du Canada. Elles tiennent également à
remercier la SODEC pour son appui financier.

Québec Amérique
329, rue de la Commune Ouest, 3ᵉ étage
Montréal (Québec) Canada H2Y 2E1
Téléphone : (514) 499-3000, télécopieur : (514) 499-3010

Dépôt légal : 3ᵉ trimestre 2004
Bibliothèque nationale du Québec
Bibliothèque nationale du Canada

Mise en pages : Andréa Joseph [PAGEXPRESS]
Révision linguistique : Claude Frappier

Tous droits de traduction, de reproduction et d'adaptation réservés

©2004 Éditions Québec Amérique inc.
www.quebec-amerique.com

La collection « Débats » est consacrée à des ouvrages faisant état des grands enjeux culturels, politiques et sociaux au Québec et explore les questions de citoyenneté, de diversité et d'identité qui traversent les sociétés plurinationales. En collaboration avec la Chaire de recherche du Canada en Études québécoises et canadiennes, cette collection est réalisée par les Éditions Québec Amérique et dirigée par Alain-G. Gagnon, titulaire de la Chaire et professeur titulaire au département de science politique de l'Université du Québec à Montréal. La collection compte déjà onze titres :

Duplessis : Entre la Grande Noirceur et la société libérale, sous la direction d'Alain-G. Gagnon et Michel Sarra-Bournet, 1997.

Québec 18 septembre 2001. Le monde pour horizon, Claude Bariteau, 1998. Prix Richard-Arès, 1998.

L'Ingratitude. Conversation sur notre temps, Alain Finkielkraut, avec Antoine Robitaille, 1999. Prix Aujourd'hui 1999.

Le Québec dans l'espace américain, Louis Balthazar et Alfred O. Hero Jr, 1999. Prix Richard-Arès, 1999.

Penser la nation québécoise, sous la direction de Michel Venne, 2000.

Récits identitaires. Le Québec à l'épreuve du pluralisme, Jocelyn Maclure, 2000.

Repères en mutation. Identité et citoyenneté dans le Québec contemporain, sous la direction de Jocelyn Maclure et Alain-G. Gagnon, 2001.

Québec : État et société, tome 2, sous la direction d'Alain-G. Gagnon, 2002.

Critique de l'américanité. Mémoire et démocratie au Québec, Joseph Yvon Thériault, 2002. Prix Richard-Arès, 2003 et Prix de la Présidente de l'Assemblée nationale du Québec, 2003.

Justice, démocratie et prospérité. L'avenir du modèle québécois, sous la direction de Michel Venne, 2003.

Désenclaver la démocratie. Des huguenots à la paix des Braves. Geneviève Nootens, 2004.

Les principaux objectifs de cette collection sont d'ouvrir de nouvelles pistes de réflexion dans le domaine des sciences sociales et de permettre aux chercheurs d'engager le débat sur des sujets contemporains.

Délibération et réflexion en sont les maîtres mots.

Table des matières

Remerciements

J'ai eu l'occasion de rencontrer depuis mes études doctorales des universitaires remarquables, dont la générosité et la confiance m'ont aidée à raffiner mes analyses et mes capacités critiques, et ainsi permis d'espérer pouvoir contribuer sérieusement aux réflexions contemporaines sur le politique et la société. Je pense particulièrement, d'abord, à Jocelyne Couture, Kai Nielsen et Michel Seymour, qui, à l'époque où j'étais en stage postdoctoral, m'ont invitée à collaborer avec eux. Cette collaboration s'est poursuivie ponctuellement par la suite, et leur soutien n'a jamais failli. En les côtoyant, j'ai bénéficié de leur grande disponibilité et d'échanges avec des gens d'une rigueur intellectuelle peu commune.

Je dois également beaucoup à Alain-G. Gagnon, directeur de cette collection, et aux autres membres du Groupe de recherche sur les sociétés plurinationales (A. Lecours, P. Noreau, F. Rocher, J. Woehrling et J. Tully). C'est un privilège inestimable de pouvoir travailler avec des intellectuels de ce niveau. Alain a été particulièrement généreux de son temps et de ses conseils dans l'entreprise qui a mené à la publication de cet ouvrage (dont il a aussi commenté le manuscrit). Son dynamisme, sa grande ouverture d'esprit, l'intérêt qu'il porte aux travaux et aux carrières de ses collègues méritent d'être soulignés. Il m'offre ici l'occasion de publier mon premier ouvrage. Il a toute ma reconnaissance.

Dans mon milieu institutionnel, j'ai grandement bénéficié de la présence de Gérard Bouchard. Il a, dès mon entrée en fonction à l'U.Q.A.C., manifesté un intérêt pour mes travaux et a fort gracieusement consacré de son temps (pourtant fort occupé) à les lire, les commenter, et en discuter avec moi. Son appui, comme ses questions et ses commentaires critiques, représentent beaucoup pour moi. Je l'en remercie vivement.

Il y a également un certain nombre d'autres collègues avec lesquels des collaborations et échanges ponctuels m'ont permis d'affiner ma pensée sur certains des thèmes abordés ici. Je pense particulièrement à Ryoa Chung, André Duhamel et Jocelyn Maclure, avec qui les collaborations s'annoncent fructueuses et durables. Bernard Gagnon et Bernard Jouve ont commenté la première version du manuscrit. Ils m'ont ainsi permis de l'améliorer considérablement. Bien entendu, les choix intellectuels reflétés ici sont les miens, et aucun des collègues mentionnés dans cette préface ne doit être blâmé s'ils s'avéraient erronés ou intempestifs.

L'on ne saurait non plus négliger de souligner l'apport des organismes subventionnaires qui ont financé les recherches ayant mené à la rédaction de ce livre. J'en profite donc pour remercier le Fonds québécois de recherche sur la société et la culture ainsi que l'Université du Québec à Chicoutimi pour leur appui financier. Merci aussi à toute l'équipe de Québec Amérique.

Finalement, je tiens à exprimer ma reconnaissance à quatre personnes qui ont pour moi une importance toute particulière. Merci d'abord à Éric, dont le soutien et l'enthousiasme de tous les instants sont infiniment précieux. Marie-Ève, Audrey et Virginie ensoleillent mon existence, et me ramènent chaque jour à l'essentiel.

Je dédie ce livre à toutes ces personnes, dont j'ai eu l'immense privilège de croiser les chemins.

Introduction

États, nations et démocratie à l'ère de la mondialisation

L'intensification des processus d'intégration identifiés à la mondialisation a rendu particulièrement aigu ces dernières années le questionnement sur l'autonomie de l'État. Bien qu'évidemment l'image de sociétés closes, capables de s'autodéterminer sans influence externe, n'ait jamais correspondu à la réalité complexe des rapports internationaux, nous sommes devenus beaucoup plus conscients depuis deux décennies du fait que nous nous trouvons engagés dans des réseaux complexes de relations et de pouvoir qui transcendent les frontières étatiques. Cela est particulièrement frappant sur le plan économique, avec l'importance des processus d'intégration régionale supra-étatique, l'impact des mouvements de capitaux (pensons par exemple à la crise malaysienne de 1997) et les conséquences attendues ou avérées des négociations sur des accords multilatéraux, notamment au sein de l'Organisation mondiale du commerce (sur les investissements, par exemple). La mondialisation n'est bien sûr pas qu'un phénomène économique; mais ce sont probablement ces aspects qui illustrent le mieux, dans la conscience populaire, l'autonomie toute relative des États dans un contexte d'interdépendance avancée.

Affirmer que la mondialisation diminue l'autonomie des États semble aujourd'hui un lieu commun. Mais il n'y a pas pour autant nécessairement de consensus quant à ce que l'on devrait en déduire sur le plan de l'organisation du politique. Devrait-on s'attaquer d'abord à la revitalisation de la démocratie à l'intérieur de l'État (du moins lorsqu'elle existe) et favoriser l'expansion du modèle de l'État national démocratique libéral, sur la base d'une sorte de consensus par recoupement à l'échelle internationale? Devrait-on favoriser la création d'États-régions, définis comme des entités économiques optimales? Devrait-on considérer en priorité l'intégration supra-étatique, ou encore la création d'un État mondial capable d'imposer un ordre universel supplantant l'anarchie des actuelles relations internationales? Et quelle que soit l'avenue que l'on favorise, comment définir ou redéfinir la démocratie?

Car si la libéralisation des échanges semble demeurer l'objectif prioritaire des négociations économiques internationales, les marchés ne constituent évidemment pas (faut-il le rappeler?) un principe d'ordre. À ce niveau d'ailleurs, les citoyens sont relativement démunis de moyens d'action et de pression devant les traités négociés par les exécutifs. Si on peut objecter que cela a toujours été le cas, la portée des nouveaux traités tend cependant à dépasser celle des traités classiques entre États: les nouveaux types d'accords internationaux négociés ou signés ces dernières années (Aléna ou Accord multilatéral sur les investissements, par exemple) mettent en œuvre des mécanismes de règlement des litiges qui permettent à des agents économiques de poursuivre des gouvernements grâce à des dispositions qui tendent à placer sur un pied d'égalité profits et intérêts publics[1]. Les individus et les organisations non gouvernementales

---

1. Pensons par exemple à l'affaire Ethyl Corporation. Cette compagnie américaine a intenté en 1997 une poursuite contre le gouvernement canadien en vertu des dispositions de l'Accord de libre-échange nord-américain (Aléna). Ethyl contestait une loi fédérale interdisant l'importation et le transport interprovincial du MMT (un additif pour l'essence sans plomb fabriqué par Ethyl) à des fins de protection de l'environnement et de la santé publique. La compagnie prétendait notamment que l'interdiction équivalait à une expropriation, qu'elle réduirait la valeur de ses installations et qu'elle nuirait à sa réputation corporative. Elle a même fait valoir que le seul débat législatif avait nui à sa réputation. La poursuite a pu être entreprise grâce à une disposition de l'Aléna qui accorde aux corporations la possibilité de poursuivre les gouvernements directement et d'exiger des compensations monétaires. Le gouvernement canadien a retiré le projet de loi et versé une compensation de 13 millions de dollars à Ethyl. Les dispositions invoquées ont donc permis à la multinationale de limiter la possibilité pour le Parlement canadien d'adopter une loi visant à protéger l'environnement et la santé publique.

ne disposent pas d'un cadre reconnu et légitimé d'action au niveau supra-étatique et global, ce qui a pour effet d'affaiblir l'imputabilité des institutions. On voit ainsi ironiquement les participants du forum de Davos remettre en question la légitimité de l'action des organisations non gouvernementales et de la société civile. Des populations paient le prix des redressements structurels imposés par le Fonds monétaire international pour rationaliser et remettre sur pied des économies malmenées par la spéculation et les fuites massives de capitaux, pourtant attribuables à des acteurs privés. Et même dans les sociétés les plus riches, la marginalisation croissante de certaines couches de la population ne peut que saper les conditions sociales de la participation politique. La paupérisation de certains groupes peut d'ailleurs faire craindre l'émergence de régimes plus autoritaires.

Ce livre part du constat que les processus liés à la mondialisation illustrent avec éclat que l'État moderne, en tant que forme d'organisation du politique, confine l'exercice de la démocratie à l'intérieur des frontières étatiques, alors même que d'autres lieux de pouvoir ont de plus en plus d'influence sur la vie quotidienne des individus. Ce constat a une double portée : s'il est exact que l'interdépendance croissante et complexe fait éclater cette réalité au grand jour, je crois aussi que le modèle même de l'État peut faire l'objet d'une critique normative significative, qui ne soit pas strictement dépendante du contexte actuel. Autrement dit, je soutiens que cette manière d'organiser le politique comporte *en elle-même* un certain nombre de postulats et de contraintes qui sont difficilement justifiables du point de vue de la philosophie morale et politique. Par exemple, le modèle de l'État dépeint la coopération internationale comme fondée sur des obligations surérogatoires (c'est-à-dire auxquelles nous ne sommes pas strictement tenus, sur le plan politique), ce qui a comme conséquence qu'en tant que citoyens d'un État particulier nous avons des obligations beaucoup plus contraignantes envers nos concitoyens qu'envers n'importe quel enfant qui meurt de faim sur la planète. Le modèle ne permet pas non plus d'institutionnaliser un système démocratique plus complexe, assurant aux individus et aux peuples davantage d'autonomie et de dignité, et qui pourrait soutenir des solidarités et des espaces délibératifs infra, supra ou transétatiques[2], voire même globaux, dotés d'une légitimité propre.

La désagrégation des catégories conceptuelles nouées dans le modèle de l'État fournit ainsi une occasion de réfléchir sur les limites mêmes d'un modèle né en Europe occidentale il y a de cela cinq à six siècles. La mondialisation vient en effet bousculer à la fois des pratiques sociales instituées dans le cadre de l'État national[3] et les référents théoriques et conceptuels utilisés pour les comprendre et les systématiser. Il faut donc dans un premier temps s'attarder quelque peu à l'examen théorique du modèle de l'État et à ce que ce modèle véhicule comme contraintes. Cette réflexion n'est certes pas aisée, notamment parce qu'elle repose sur la disjonction de concepts et de catégories dont l'imbrication a été le lieu de naissance de la démocratie libérale. Par « catégories », j'entends ici les principaux termes servant à conceptualiser, définir, nommer le politique de manière particulière et historiquement située. L'État moderne se présente en effet comme le cadre spatial et normatif d'un ensemble de pratiques sociales et politiques (entre autres la justice redistributive et la démocratie libérale)[4]. La compréhension dominante du politique prend forme dans l'État (le rapport à l'État déterminant la subjectivité

2.	Lorsqu'il s'agit de parler d'espaces infra, supra ou transétatiques, la plupart des auteurs utilisent plutôt les termes infranational, supranational ou transnational. Pour éviter toute confusion, j'ai utilisé le terme étatique lorsqu'il s'agit de l'État, et ai réservé le terme national pour tout ce qui est relatif aux nations à strictement parler. La seule exception que j'ai faite concerne la traduction des citations : j'ai conservé le terme national lorsqu'il était utilisé par les auteurs, bien que la plupart du temps ces derniers utilisent indistinctement ce terme pour désigner aussi ce qui est relatif à l'État. Pour ce qui est du terme international, j'ai préféré le conserver étant donné sa très vaste utilisation dans tous les types de discours (pas seulement chez les spécialistes) ; on comprendra cependant que les relations dites internationales sont en fait très largement interétatiques.

3.	J'expliquerai au chapitre premier la distinction qu'il faut faire entre État national et État-nation, ainsi que les circonstances dans lesquelles j'utiliserai chacune de ces expressions.

4.	Geneviève Nootens, « Nœuds et dénouements : à propos des catégories normatives du politique », dans André Duhamel et André Lacroix (dir.), *Éthique et politique en contexte global*, Montréal, Liber, 2004.

politique), au moyen d'un ensemble de catégories conceptuelles qui se définissent par leurs liens mutuels. Ces catégories se constituent en effet mutuellement et corrélativement en tant qu'éléments conceptuels de définition et de compréhension d'une forme bien précise d'organisation politique ; par exemple, l'identité politique y est fonction d'une forme particulière et exclusive de juridiction territoriale. En ce sens, elles font partie à la fois d'un « imaginaire théorique » et de la structuration très concrète des formes sociales.

Parmi ces catégories, trois ressortent particulièrement : la citoyenneté, la nation et la souveraineté territoriale. La notion de citoyenneté est relativement ancienne, mais telle que nous la comprenons, elle se constitue corrélativement à la construction et à l'affirmation des États nationaux. Elle fait référence à une relation (multidimensionnelle) de l'individu à l'État territorialisé. Le fait central de l'identité politique est en effet ici « l'identification de la citoyenneté avec la résidence dans un espace territorial spécifique[5] ». Dans sa version contemporaine, le paradigme moderne de la citoyenneté est fondé sur le postulat que le principe politique démocratique, le statut juridique de personne légale et la forme d'identité politique correspondent sur le terrain de l'État(-providence) démocratique[6]. L'idée moderne de nation joue elle aussi un rôle fondamental dans ce modèle. Elle vient en effet soutenir la notion de citoyenneté en fournissant la base sociale et culturelle d'intégration à l'identité politique. Elle représente un puissant outil de mobilisation politique et de justification du découpage territorial. Son rôle à cet égard est d'autant plus important que le territoire constitue le support fonctionnel des principales catégories politiques de l'État moderne.

Enfin, l'idéal de la souveraineté territoriale est coextensif au modèle, entre autres parce que c'est le lien étroit entre la souveraineté et le territoire qui y sous-tend le lien conceptuel entre le pouvoir

---

5. John Agnew et Stuart Corbridge, *Mastering Space. Hegemony, Territory and International Political Economy*, Londres/New York, Routledge, 1995, p. 85 (traduction de l'auteure).
6. Jean Cohen, « Changing Paradigms of Citizenship and the Exclusiveness of the Demos », *International Sociology*, 14, 3, 1999, p. 245-268.

politique et l'État[7]. La notion de souveraineté devient un principe constitutif du système interétatique européen avec les Traités de Westphalie (1648) ; le poids de cet idéal croît dès lors de manière relativement constante. La conjugaison du principe des nationalités (voulant que toute nation ait droit à son État) et de l'idéal de souveraineté territoriale donna naissance au modèle de l'État-nation.

Les concepts les plus fondamentaux de notre compréhension du politique sont ainsi nés dans le contexte des États nationaux. Dénouer ces liens, percevoir et nommer les nouveaux lieux potentiels d'allégeance et de participation, réarticuler les pratiques auxquelles nous attribuons une valeur normative (par exemple sur les plans des droits individuels et de la participation démocratique), tout cela demande un effort analytique et théorique important. Cela nécessite aussi de relativiser la manière dont s'est conventionnellement articulé le politique dans la modernité. Il ne s'agit pas ici d'affirmer que la fin de l'État est imminente, ou encore qu'il ne joue plus de rôle important dans la vie de ses commettants ou sur la scène internationale. Il s'agit de poser un regard critique sur le modèle de l'État, pour en souligner les limites et examiner comment pourraient être réorganisés le politique et la démocratie à notre époque.

L'argument développé ici table sur des travaux de recherche que je poursuis depuis trois ans. Certaines idées et certains concepts utilisés ont par conséquent été développés dans le cadre de publications et de communications antérieures[8]. J'ai au départ constaté que la

---

7. John Agnew, « Mapping Political Power Beyond State Boundaries : Territory, Identity, and Movement in World Politics », *Millenium. Journal of International Studies*, 28, 3, 1999, p. 513.

8. Voir notamment Geneviève Nootens, « Identité, citoyenneté, territoire : la fin d'un paradigme ? », dans Jocelyn Maclure et Alain-G. Gagnon (dir.), *Repères en mutation. Identité et citoyenneté dans le Québec contemporain*, Montréal, Québec Amérique, coll. « Débats », 2001, p. 105-125 ; « Politique, citoyenneté et mondialisation », dans Pierre-Yves Bonin (dir.), *Mondialisation : perspectives philosophiques*, Presses de l'Université Laval/ L'Harmattan, 2001, p. 217-236 ; « État et nation : fin d'un isomorphisme ? », *Politique et sociétés*, 21, 1, 2002, p. 25-41 ; « Nœuds et dénouements », *op. cit.* J'ai parfois réexpliqué ces idées et arguments, et parfois simplement renvoyé aux publications pertinentes. Lorsque j'ai repris certains thèmes, c'est parce que cela était nécessaire à la cohérence de l'ensemble.

mondialisation bousculait le postulat de l'association de la citoyenneté avec la résidence dans un espace territorial précis. Ce constat a pris une double importance. D'une part, le postulat qui associe citoyenneté et résidence dans un espace territorial précis est profondément ancré non seulement dans la pratique politique contemporaine, mais aussi dans la philosophie politique libérale, au sein de laquelle se situent mes travaux. D'autre part, ce constat soulève la question de la nature de la relation entre la citoyenneté et la démocratie ; il nous oblige à réfléchir au fait qu'à l'heure actuelle, le seul niveau auquel s'exercent la participation et l'imputabilité, du moins dans les démocraties libérales, est intra-étatique. Or le pouvoir est devenu plus diffus, les lieux de pouvoir plus nombreux et plus occultés. En même temps émergent de nouvelles pratiques sociales et de nouveaux espaces de coopération entre les individus, à travers les frontières.

L'importance de redéfinir l'association entre citoyenneté et territorialité pour rendre compte des nouveaux espaces d'action civique et faire des propositions normatives appropriées a ainsi joué un rôle central dans la réflexion que je propose ici. Il m'apparaissait en effet primordial de rappeler l'enracinement territorial de la citoyenneté et de confronter certaines propositions théoriques issues de la tradition libérale aux exigences factuelles et normatives de redéfinition de la citoyenneté dans le cadre de la mondialisation. Beaucoup de ces propositions négligent l'importance de la dimension territoriale ainsi que la présence de formes intermédiaires d'action et d'identification. Or la dimension territoriale apparaît interpellée tant par les réalités économiques que par les revendications identitaires et les nouvelles formes de contrôle, de mobilisation et d'association (les réseaux par exemple). L'État entrant en interaction avec d'importants processus et forces, tant au niveau supra-étatique qu'à l'échelle infra-étatique, c'est la définition d'une allégeance citoyenne prioritaire, basée sur l'appartenance à un espace commun territorialement délimité et identifiable, qui est traversée par des tensions et transformations susceptibles d'en modifier la nature. À moins de réduire la citoyenneté à une dimension formelle qui ne se préoccuperait pas de la disjonction entre les espaces fonctionnels et les espaces délibératifs, ni de la multiplication de ces espaces sociaux, cette situation exige de conduire une réflexion sur la citoyenneté et la démocratie.

En ce qui concerne la théorie libérale en particulier, il me semble que la persistance du postulat mentionné constitue un obstacle à l'articulation des fondements théoriques d'un nouveau modèle du politique (dont l'État demeurera peut-être partie mais comme un espace fonctionnel et démocratique parmi d'autres). Pour des raisons empiriques et normatives, il est fondamental de relativiser le modèle de l'État (c'est-à-dire de le situer comme forme historique contingente et d'en saisir les limites) et d'insister sur la possibilité d'élaborer des formes politiques concurrentes, alternatives ou subsidiaires.

C'est pourquoi je veux insister sur la nécessité de redéfinir un vocabulaire normatif né dans le contexte des États nationaux et qui correspond mal à l'émergence de nouveaux espaces civiques qui ne sont pas nécessairement congruents avec l'État national. Ni le confinement à l'État (même démocratique libéral), ni un niveau supraétatique qui serait appelé à devenir le principal, sinon l'unique, niveau de réarticulation de l'identité citoyenne, ni l'accent sur des principes universaux qui négligeraient les identités particulières (comme l'appartenance nationale) n'apparaissent satisfaisants. Si l'on accepte de dénouer les catégories conceptuelles et normatives constitutives de l'État moderne, de les repenser et de redéfinir leurs liens mutuels, les pistes de réflexion les plus intéressantes se trouvent à mon sens du côté des travaux sur le pluralisme juridique, le constitutionnalisme commun, le plurinationalisme, la souveraineté différenciée, la démocratie multiscalaire et une citoyenneté à plusieurs niveaux.

J'insisterai particulièrement sur les rapports État/souveraineté/démocratie et sur la nécessité d'élaborer des pratiques démocratiques plus complexes, qui ne soient pas limitées au cadre étatique. Cet ouvrage ne vise pas à élaborer une théorie générale de la démocratie, ni à évaluer les théories démocratiques existantes. Il porte cependant sur l'espace du politique et sur les communautés politiques; il propose, dans l'optique à la fois d'une prise en considération des processus liés à la mondialisation et d'une critique de l'État territorial souverain, que si la démocratie compte, elle doit être réarticulée de manière à s'incarner, institutionnellement, à plusieurs niveaux.

Sur le plan théorique, c'est essentiellement l'incapacité de nombre de travaux en philosophie politique libérale contemporaine de sortir du cadre de l'État territorial souverain qui explique l'urgence de la réflexion proposée ici. Beaucoup de ces travaux en effet continuent à associer les espaces civiques et démocratiques à l'espace territorial délimité et contrôlé par l'État souverain. Il y a certaines raisons historiques qui expliquent cette association, comme je le soulignerai au chapitre premier. Et la théorie libérale n'est certes pas la seule à demeurer prisonnière de ce modèle. Cependant, cette situation a deux effets particuliers sur la théorie libérale : elle ne peut, sauf exception, travailler essentiellement que sur la revitalisation de la démocratie à l'interne ; et, par conséquent, elle ne propose pratiquement pas de modèle novateur d'organisation du politique à une échelle autre qu'étatique. Or c'est précisément ce qui, selon moi, importe à l'heure actuelle. Je tenterai notamment de montrer que la démocratie libérale prend pour antérieurement définie la question du constituant approprié (qui paraît être pour elle un postulat incontournable), alors même que les identités et allégeances sont mouvantes et que les processus d'interaction et de dialogue sont eux-mêmes constitutifs des *demoi*.

Il n'est pas question de soutenir que se dessine une société civile globale, ni qu'il devrait y avoir un super-État mondial pour que nous puissions échapper à l'anarchie des relations interétatiques. Il faut surtout pouvoir rendre compte d'espaces et d'identités complexes et multiformes, ce que ne permet pas le modèle unitaire et monolithique de l'État. Ce modèle ne permet même pas de penser qu'il y a d'autres manières d'organiser l'ordre social et la stabilité politique. Depuis Hobbes, comme le rappelle Neil MacCormick, l'État s'est présenté comme la seule réponse possible à l'anarchie des relations entre individus[9]. Il est par conséquent devenu fort difficile, pour nous Occidentaux contemporains, de penser que le politique puisse être

---

9. Neil MacCormick, *Questioning Sovereignty. Law, State, and Nation in the European Commonwealth*, Oxford University Press, 1999.

organisé autrement et la démocratie s'incarner différemment. Cela justifie de porter une attention toute particulière aux travaux sur la souveraineté différenciée, le pluralisme juridique, le plurinationalisme et la citoyenneté à plusieurs niveaux. Tous ces travaux tentent d'élaborer une conception plus complexe, moins monolithique, de l'espace du politique. C'est à cette entreprise que j'espère contribuer ici[10].

Dans un premier temps, je m'attarderai au modèle de l'État moderne, pour rappeler l'émergence de cette forme particulière d'organisation du politique. L'intention du chapitre premier est double : d'une part, insister sur les liens qui unissent les catégories conceptuelles et normatives qui sont consubstantielles au modèle (territoire, citoyenneté, souveraineté et nation) ; d'autre part, mettre en lumière les liens profonds qui existent entre ce modèle, le libéralisme, et la théorie moderne des obligations politiques. Cela permet de mieux comprendre la fermeture de l'espace propre au modèle de l'État moderne, territorialement souverain.

Étant donné que la mondialisation contribue à rendre plus évident le caractère monolithique, unitaire et inapproprié de ce modèle, le chapitre 2 se penche sur la thèse de la fragmentation du modèle de l'État dans le contexte actuel. Il examine particulièrement la dynamique de déterritorialisation et de reterritorialisation, ainsi que l'impact des processus de reterritorialisation sur l'État. L'érosion de l'État qui résulte de ces processus ne signifie pas qu'il cesse d'être un acteur incontournable des relations à l'échelle mondiale ; par exemple, ce sont les États qui participent à la création et à la mise sur pied des institutions et accords internationaux. La création de nouveaux ensembles (supra-étatiques, infra-étatiques ou transétatiques) superpose cependant de nouveaux espaces aux États, contribuant à modifier leur rôle et leurs fonctions. Dans ce contexte, si un certain nombre de pratiques démocratiques ne sont pas formalisées et institutionnalisées à d'autres échelles, multiples, il est difficile de voir

---

10. En ce qui concerne le plurinationalisme, j'attire notamment l'attention du lecteur sur les travaux du Groupe de recherche sur les sociétés plurinationales.

comment les individus et les peuples pourront resserrer le contrôle qu'ils exercent sur leurs destinées.

Deux grands courants s'opposent cependant, actuellement, en philosophie politique libérale, sur l'attitude à adopter relativement aux rapports entre État et démocratie dans ce contexte : le nationalisme libéral et le cosmopolitisme institutionnel. En exposant et en clarifiant ce débat (à partir d'auteurs et de textes précis), le chapitre 3 entend d'abord montrer qu'il faut éviter de considérer comme prédéterminée l'existence d'un *demos* unitaire, clairement délimité territorialement, d'une communauté politique dans laquelle les individus sont liés par leur sens de la responsabilité citoyenne et la confiance mutuelle, et qui serait le seul fondement solide de la démocratie libérale ; il entend aussi montrer qu'une approche institutionnelle permet de penser un modèle de démocratie multiscalaire.

Le chapitre 4 revient sur une question fort importante, dont j'ai mentionné qu'elle constituait l'une des limites intrinsèques du modèle de l'État moderne, et qui est aussi négligée par les défenseurs de la démocratie cosmopolitique : la question des nations minoritaires et des minorités nationales. L'importance de l'idée moderne de nation dans notre conception du politique aura été exposée au chapitre premier, dans le cadre de la discussion du modèle de l'État et des catégories normatives qui lui sont consubstantielles. Le chapitre 4 explicite les liens du nationalisme majoritaire avec l'État territorial souverain et examine une version républicaine de ce qu'on peut appeler la thèse du lien civique. Il explique que le paradigme de l'État multinational, s'il dénonce le mythe de la neutralité, n'échappe pas pour autant au modèle organisationnel de l'État unifié qui, en définitive, sous-tend la version républicaine. Comment en effet expliquer autrement le fait que la principale question demeure, même chez les défenseurs du paradigme de l'État multinational, celle du lien civique global dans l'État consolidé ? À titre d'exemple d'alternatives concernant l'organisation des rapports entre nations dans l'État, je rappellerai l'existence d'un modèle basé sur le principe de personnalité plutôt que sur le principe de territorialité.

Sur le plan idéologique, ce livre s'inscrit en faux contre deux types de discours. Il veut d'abord rester à distance d'un certain discours dit postmoderne qui voudrait rendre superflue la recherche de sens. Mais il veut aussi s'opposer fermement à un certain discours déplorant la « fragmentation » qui caractériserait notre époque, la « perte de certitude » ou des repères, l'effritement des « valeurs ». Comme le dit bien le titre d'un ouvrage dirigé par Jocelyn Maclure et Alain-G. Gagnon, nos repères sont *en mutation*[11]. Il n'y a pas là en soi un état de fait à déplorer, mais des possibilités à saisir et des futurs à explorer. Il y a surtout, face aux défis concrets qui se posent, des choix à faire.

Si l'arrière-plan est bien celui de la mondialisation, il n'est pas question de se limiter à en analyser les tendances. Il s'agit d'un essai de philosophie politique. Or la philosophie politique s'intéresse aux questions *normatives* qui touchent l'organisation du politique. Elle se penche notamment sur les questions de la justification et de la légitimité des principes de base de l'organisation sociale ; elle s'intéresse aux formes légitimes de pouvoir, au statut normatif des formes identitaires et des représentations collectives. Elle vise l'analyse conceptuelle et normative des notions, principes et institutions qui encadrent le fonctionnement des communautés politiques. Dans un certain sens, elle est centrée sur la responsabilité publique, sur ces obligations qui justifient l'utilisation des institutions publiques[12]. Elle vise la production de raisons, une certaine systématisation des idées et modes de pensée, et l'élaboration d'une perspective critique sur ce qui est.

De ce point de vue, certaines réponses et propositions apparaissent plus appropriées, plus justifiables, que d'autres. Je voudrais d'ores et déjà mentionner les principales raisons qui me paraissent justifier fondamentalement la critique du modèle de l'État. À mes yeux quatre d'entre elles sont particulièrement importantes. D'abord, l'État est une forme historiquement contingente d'organisation du politique ;

---

11. J. Maclure et A.-G. Gagnon (dir.), *Repères en mutation, op. cit.*

12. Will Kymlicka, *Contemporary Political Philosophy. An Introduction*, Oxford, Clarendon Press, 1990, p. 6-7.

sa simple existence ne peut par conséquent suffire à le justifier. Ensuite, ce modèle, celui de l'État territorial souverain, est sous-tendu par une épistémologie territorialiste, c'est-à-dire qui naturalise cette forme territoriale[13]. Cette épistémologie contribue à limiter la légitimité des formes de l'action politique, en ne permettant de concevoir celle-ci que comme forme spécifique et exclusive de juridiction territoriale, restreignant par le fait même les possibilités de démocratisation des institutions supra-étatiques. La troisième raison que j'invoquerai réside dans les iniquités qui caractérisent la distribution de la richesse à l'échelle mondiale ; ces iniquités ne peuvent être justifiées uniquement sur la base de l'argument que nous partageons avec nos concitoyens le fardeau de la coopération. Je ne vois en effet aucune raison normative valable de soutenir que nous avons davantage d'obligations envers nos concitoyens qu'envers les enfants affamés de n'importe où. Enfin, la quatrième raison qui justifie à mon sens une critique du modèle de l'État est le rôle qu'il a joué dans l'assimilation des minorités nationales et culturelles, et l'incompatibilité entre le modèle de l'État-nation et un « authentique » droit des minorités. Il y a à cet égard aussi des iniquités injustifiables qui désavantagent ceux qui ont fait les frais de l'assimilation ; pensons notamment aux peuples autochtones.

Ce livre défend l'argument qu'il est à la fois *possible* et *souhaitable* de remettre en cause le modèle de l'État comme forme prédominante d'organisation du politique dans la modernité, notamment en dénouant ce qui apparaît comme l'appareil conceptuel véhiculé par ce modèle. Le principal obstacle à la question de la *possibilité* de ce dénouement est celui de la persistance de la territorialisation étatique, porteuse de modèles sociaux et de postulats normatifs non discutés, et qui influence notre manière même de comprendre les enjeux qui se posent et de dessiner des alternatives. Autrement dit, la territorialisation fonctionnelle de l'espace géopolitique est dotée

---

13. Scholte parle de « territorialisme méthodologique », pour désigner la compréhension du monde social à travers le prisme de la géographie territoriale. Voir Jan Aart Scholte, *Globalization. A Critical Introduction*, St. Martin's Press, 2000, p. 56.

d'une inertie puissante et s'incarne dans une logique institutionnelle, restreignant du coup l'horizon des possibles. Or, s'il est utile de rappeler la contingence de ce modèle (ainsi, par exemple, on ne peut pas exclure que des solidarités comparables à celles qui peuvent unir les citoyens des démocraties libérales puissent se développer à d'autres niveaux), il faut aussi réaliser que se dessinent déjà des modes d'organisation du pouvoir à d'autres échelles (régionales, supra-étatiques et éventuellement transétatiques).

Quant à savoir s'il est *souhaitable* de remettre ce modèle en question, la réponse dépend à la fois de la valeur, normative ou fonctionnelle, qu'on lui attribue et du fait de déterminer si notre appareil conceptuel nous permet de répondre ou non de manière pertinente et satisfaisante aux défis qui se posent à nous à l'heure actuelle. La théorie politique traditionnelle nous permet-elle d'articuler une théorie de la démocratie qui s'applique aux institutions internationales? L'État-nation démocratique libéral est-il réellement le lieu adéquat de réalisation et d'expression des solidarités entre individus? L'État territorial masque des rapports de pouvoir profondément ancrés dans la conscience collective, et qui enferment l'action politique dans ce cadre précis, limitant la légitimité des revendications sociales et politiques à celles qui s'y conforment. Les événements du Sommet de Québec d'avril 2001 (comme ceux qui ont entouré d'autres rencontres du même ordre) ont rappelé de manière aiguë cette tension entre l'enfermement du politique et de la démocratie dans un cadre précis, et la nature des enjeux et la conscience globale qui s'esquisse. Il nous a aussi rappelé le déficit de légitimité dont souffrent les gouvernements, même démocratiques.

Ni les projets cosmopolites, ni le constat que les États ne définissent pas des « sociétés nationales » closes sur elles-mêmes, ne sont choses nouvelles. Les projets de paix universelle perpétuelle ou de fédéralisme mondial, les échanges multiples entre individus, groupes et sociétés, sont là pour nous le rappeler. Mais l'organisation des communautés politiques en États a néanmoins conduit à la structuration géographiquement délimitée d'un certain nombre de processus et de pratiques sociales, que ce soit au niveau de la justice distributive, de l'éducation ou de l'exercice des droits relatifs à la citoyenneté, pour ne nommer que les domaines les plus importants. Or, dans un contexte où se superposent à l'espace politique conventionnel des espaces transnationaux, supranationaux ou encore carrément apolitiques, où existent peu de médiations démocratiques, il est grand temps de repenser le politique.

Chapitre 1

Le modèle de l'État-nation : trajectoire historique et concepts

L'État national est *une* forme d'organisation du politique parmi d'autres, qui s'impose à une époque donnée (cet État émerge en Europe occidentale au tournant du XVe siècle et connaît probablement son apogée entre le milieu du XIXe et la fin du XXe siècle), en un lieu géographique précis, pour ensuite être «exporté» ailleurs sur la planète. Comme on le sait, on retrouve à travers l'histoire humaine (en fait, pour une bonne partie de celle-ci) des ensembles politiques dans lesquels l'organisation du pouvoir ne prend pas cette forme. La modernité occidentale s'accompagne donc d'une manière particulière de définir la communauté politique et d'organiser le pouvoir, l'État national[1].

---

1. Pour être fidèle à la réalité sociologique de la plupart des États modernes, j'emploie ici le vocable d'État national, réservant le terme État-nation au modèle théorique sous-jacent mais qui ne représente pas la réalité de la grande majorité des États. La plupart des dits États-nations qui se partagent l'espace géographique sont en fait *multinationaux,* donc ne peuvent pas prétendre au titre d'État-nation au sens strict (c'est-à-dire au sens où on postule une coïncidence entre la forme étatique et une nation). Il est déplorable que de larges pans de la littérature conservent cette expression pour désigner ce que Tilly suggère d'appeler plutôt l'État national, c'est-à-dire «des États gouvernant plusieurs régions contiguës et leurs villes par l'intermédiaire de structures centralisées, différenciées et autonomes», ou encore ces «organisations relativement centralisées, différenciées et autonomes qui obtiennent la priorité de l'usage de la force dans de grands territoires contigus, clairement délimités» (Charles Tilly, *Coercion, Capital and European States, AD 990-1990,* Cambridge, Basil Blackwell, 1990, p. 43) (traduction de l'auteure). Lorsque j'utilise ici l'expression «État-nation», c'est toujours pour faire référence au modèle lui-même.

Les définitions de l'État se rassemblent généralement autour de la formulation classique de Max Weber, qui caractérise cet ensemble institutionnel par la monopolisation de la coercition légale sur un territoire défini (délimité par des frontières), habité par une population. David Held par exemple souligne que «l'État se fonde sur un monopole de la coercition physique qui est légitimé (c'est-à-dire soutenu) par la conviction que ce monopole est justifiable et/ou légal[2]». L'État se présente comme «une organisation distincte qui contrôle les principaux moyens concentrés de coercition à l'intérieur d'un territoire bien défini, et a priorité (à certains égards) sur les autres organisations opérant dans le même territoire[3]». De manière générale, l'idée de l'État dans la pensée politique occidentale moderne est liée «à la notion d'un ordre juridique ou constitutionnel impersonnel et privilégié, doté de la capacité d'administrer et de contrôler un territoire précis[4]».

Dans la modernité occidentale, l'État en vient à être à la fois espace de justice redistributive, d'identification, d'allégeance, et centre privilégié de vie civique et de débat politique. Il se présente comme un espace juridique à l'intérieur duquel des droits et devoirs déterminés sont traduits positivement et considérés plus contraignants que les obligations morales générales à l'endroit de l'ensemble de l'espèce humaine. Le fondement de notre vie politique est cet espace public, défini et délimité par le territoire, qui permet de concevoir un espace «national» non stratifié, caractéristique de la modernité. L'horizontalité de cet espace dépend du territoire et elle fait partie intégrante de la citoyenneté. Cela se reflète parfaitement dans la théorie libérale: la conception de la raison publique qu'on y retrouve postule la coïncidence de l'espace civique avec l'État territorialisé. Elle assume ainsi à la fois la présence d'un espace national homogène et cette coïncidence de l'espace civique avec l'État territorialisé.

---

2. David Held, *Political Theory and the Modern State. Essays on State, Power, and Democracy*, Stanford, Stanford University Press, 1989, p. 41 (traduction de l'auteure).

3. C. Tilly, *Coercion, Capital and European States, op. cit.*, p. 130 (traduction de l'auteure).

4. D. Held, *Political Theory and the Modern State, op. cit.*, p. 11 (traduction de l'auteure).

Le concept d'État lui-même n'a pris sa signification moderne que très progressivement, entre les XIVe et XVIe siècles, comme l'explique Quentin Skinner. Cela s'est fait grâce à trois types d'apports, soit la littérature destinée aux princes (par exemple chez Machiavel), le républicanisme de la Renaissance et les théoriciens de l'absolutisme[5]. À la fin du XIVe siècle, le terme latin *status* est généralement employé pour désigner, outre la condition légale des individus, la condition d'un royaume. Ce concept se modifie progressivement, pour donner naissance au concept moderne d'État. C'est d'abord dans la littérature destinée aux princes et aux magistrats que les termes *status* et *stato* connaissent des usages nouveaux : les conseils destinés à aider ces princes à « *tenere o mantenere lo stato* » (c'est-à-dire à rester au pouvoir sur les territoires qui relèvent d'eux) font notamment référence à des régimes ou systèmes de gouvernement, au territoire sur lequel s'exerce ce pouvoir et à la structure utilisée pour ce faire (les institutions)[6]. Par contre, cette structure n'est pas considérée indépendamment du prince. C'est dans la tradition républicaine de la Renaissance que l'on trouve l'ébauche de cette distinction entre l'État et les dirigeants, sans pour autant que l'État soit déjà distingué des citoyens. Cette dernière distinction est le fruit d'un troisième courant, celui des théoriciens de l'absolutisme (Thomas Hobbes, notamment) pour qui les pouvoirs du gouvernement ne sont pas la simple expression des pouvoirs des gouvernés ; le pouvoir politique consiste ici en un transfert absolu des pouvoirs du peuple vers l'État[7].

---

5. Pour ce qui suit, je me réfère essentiellement à Quentin Skinner, « The State », dans Terence Ball, James Farr et Russell L. Hanson (dir.), *Political Innovation and Conceptual Change*, Cambridge, Cambridge University Press, 1989, p. 90-131.
6. Selon Skinner, ce dernier aspect contient l'innovation linguistique majeure des écrits et chroniques politiques de l'Italie de la Renaissance (*Ibid.*, p. 101).
7. *Ibid.*, p. 116-117. L'idée que l'autorité suprême dans une communauté politique réside dans l'autorité étatique provient donc d'une théorie politique particulière, que Skinner désigne comme « le produit du mouvement contre-révolutionnaire important le plus ancien de l'histoire européenne moderne, celui de la réaction contre les idéologies de la souveraineté populaire » (*Ibid.*, p. 121) (traduction de l'auteure).

L'émergence et la consolidation de l'État moderne

Le phénomène d'émergence et de construction de l'État en Europe occidentale a été largement discuté et documenté. On se référera notamment, à ce sujet, aux travaux de Charles Tilly et d'Anthony Giddens[8], ainsi qu'à ceux de Reinhart Bendix, Michael Mann, Barrington Moore, Joseph Strayer et Stein Rokkan, entre autres. Je veux insister sur le fait qu'au cours de ce processus, la territorialisation de l'espace politique en vient à définir des espaces étatiques à la fois mutuellement exclusifs et exempts des stratifications sociales et politiques propres à l'Europe médiévale[9]. Dans le processus de construction de l'État, l'espace politique européen passe d'une organisation caractérisée par la superposition d'allégeances et la stratification d'espaces sociopolitiques multiples, à la centralisation du pouvoir sur un territoire délimité et à la coexistence d'entités territoriales mutuellement exclusives sur la base du principe de souveraineté[10]. L'Europe du XIVe siècle se caractérise encore par le chevauchement des zones d'influence, la fluctuation des zones frontalières, le peu de frontières fixes entre les autorités politiques, l'importance des réseaux régionaux d'affiliation personnelle. On n'y retrouve pas la conception abstraite de l'égalité individuelle et de la citoyenneté sur un territoire géographiquement délimité qui sera caractéristique de l'État moderne[11]. L'espace y est organisé de manière concentrique autour de centres d'allégeance, selon la mouvance des affiliations. L'État territorial moderne remplace cette pluralité de liens hiérarchiques par une identité exclusive basée sur l'appartenance à un espace juridique commun, et qui devient le fait central de l'identité politique[12]. L'identité politique

---

8. Charles Tilly (dir.), *The Formation of National States in Western Europe*, Princeton, Princeton University Press, 1975 ; ainsi que *Coercion, Capital and European States, op. cit.* ; Anthony Giddens, *The Nation-State and Violence*, Berkeley, University of California Press, 1985.
9. Voir par exemple Andreas Behnke, « Citizenship, Nationhood and the Production of Political Space », *Citizenship Studies*, 1, 1, 1997, p. 243-265.
10. *Ibid.*, p. 250-251.
11. J. Agnew et S. Corbridge, *Mastering Space, op. cit.*, p. 84.
12. *Ibid.*, p. 85.

moderne est fonction de cette forme particulière et exclusive de juridiction territoriale. Ultimement, les principes politiques communs doivent éviter la remise en question de l'appartenance à l'État pour des prétextes de divisions statutaires, religieuses ou économiques[13]. Le contrôle territorial caractéristique de l'État national constitue, tout comme cet État lui-même, une forme historique et culturelle particulière, distincte du lien établi par la Cité (qui fragmente les espaces), l'Empire (dont la logique est l'expansion) et la féodalité (où le lien d'allégeance est avant tout personnel)[14].

Cet État deviendra ce qu'on appelle l'État-nation, notamment au moyen d'entreprises d'unification politique et culturelle autour d'un groupe dominant[15]. Le projet de construction d'une identité dite nationale contribue ainsi à déplacer l'axe principal de définition de l'identité, qui auparavant était le fait de conceptions téléologiques et de solidarités locales et segmentaires. J'y reviendrai un peu plus loin.

---

13. Geneviève Nootens, « L'identité postnationale : itinéraire(s) de la citoyenneté dans la modernité avancée », *Politique et sociétés*, 18, 3, 1999, p. 99-120 ; Bertrand Badie, *La fin des territoires. Essai sur le désordre international et l'utilité sociale du respect*, Paris, Fayard, 1995 ; Ross Poole, « Nationalism, Ethnicity and Identity », *Journal of Area Studies*, 4, 1994, p. 30-42 ; Ernest Gellner, « Nationalism », *Theory and Society*, 10, 6, 1981, p. 753-776.

14. B. Badie, *La fin des territoires, op. cit.*, p. 18-33. « Le Traité des Pyrénées, qui institua une commission conjointe devant décider du tracé exact de la frontière entre l'Espagne et la France, inaugura la première frontière officielle au sens moderne du terme (1659). Bien que des tentatives similaires antérieures visant à déterminer des frontières soient rapportées (par exemple, la tentative faite par Philippe le Bel, en 1312, de déterminer les frontières de la Flandre), le caractère essentiellement personnel de l'organisation politique de cette époque faisait de ces tentatives une question fort différente. Sous l'autorité féodale, la loyauté était due à plusieurs seigneurs simultanément, suivant les circonstances. Par conséquent, même si les limites du royaume étaient bien connues, elles étaient plus difficiles à discerner » (Friedrich Kratochwil, « Of Systems, Boundaries and Territoriality : An Inquiry into the Formation of the State System », *World Politics*, XXXIX, 1, 1986, p. 33) (traduction de l'auteure).

15. C. Tilly (dir.), *The Formation of National States, op. cit.* ; Yaël Tamir, *Liberal Nationalism*, Princeton, Princeton University Press, 1993 ; R. Poole, « Nationalism, Ethnicity and Identity », *op. cit.*

Territorialité, souveraineté, citoyenneté

Ainsi, territorialité et citoyenneté s'avèrent étroitement liées, la territorialité définissant un espace politique exempt de ces stratifications sociales et politiques propres à l'Europe médiévale :

> L'établissement de la citoyenneté fut partie intrinsèque de la territorialisation de l'État moderne ; et c'est dans cette forme d'espace politique non stratifié que la citoyenneté joue son rôle et assume l'expression institutionnelle de la souveraineté populaire. L'introduction de la citoyenneté nationale et la territorialisation de l'État moderne sont des éléments consubstantiels dans la structuration de l'espace politique par des acteurs historiquement et culturellement situés[16].

De toutes les caractéristiques de l'État national (centralisation du pouvoir, monopole de la violence légitime, appareil administratif développé, etc.), la plus visible, la plus évidente, et pourtant la moins problématisée, est précisément cette territorialisation de l'espace politique. Précisons que le terme territorialisation fait référence au processus de délimitation, d'encadrement de l'action et de l'identité politique dans une aire géographique délimitée par des frontières, aire dont la population est soumise au contrôle exercé par un État ; ce processus s'accompagne d'une représentation correspondante du politique[17]. Or, si on a décrit ce phénomène, on n'en a pas tiré toutes les conséquences, empiriques et normatives, sur le plan de l'organisation du politique[18].

---

16. A. Behnke, « Citizenship », *op. cit.*, p. 253 (traduction de l'auteure). Badie souligne le lien étroit entre le principe de territorialité et la manière dont les sociétés occidentales ont conçu et représenté leur espace : « Toute cette construction théorique est d'autant plus solide que le territoire fait sens dans l'histoire politique occidentale, qu'il est la projection spatiale, claire et indiscutable, du lien d'allégeance citoyenne unissant un individu, émancipé de son groupe communautaire, à un centre étatique unique, détenteur du monopole de l'action politique » (B. Badie, *La fin des territoires, op. cit.*, p. 51).

17. Robert D. Sack, *Human Territoriality. Its Theory and History*, Cambridge, Cambridge University Press, 1986.

18. Beaucoup de gens le tiennent pour si évident et indépassable qu'ils ne voient même pas l'utilité d'en discuter et continuent de tenir pour acquis que la territorialité étatique constitue le point de départ nécessaire et obligé du politique.

Il est par conséquent primordial d'insister sur le fait que, d'une part, le territoire est une construction (une représentation sociale particulière de l'espace, historiquement construite et articulée) et, d'autre part, l'espace politique n'a pas nécessairement à être territorialisé au sens véhiculé par le modèle de l'État moderne[19]. Comme le souligne fort bien Bertrand Badie, le territoire n'est qu'une représentation spatiale parmi d'autres, qui

> n'est intelligible dans le domaine politique qu'en recevant une définition stricte, tenant à la spécificité de la fonction qu'il accomplit. Suivant Robert Sack, on peut établir que le territoire fait sens sur le plan politique en tant que mode de contrôle sur les personnes, les processus ou les relations sociales. Un espace délimité s'établit en un territoire politiquement pertinent dès lors que sa configuration et son bornage deviennent le principe structurant d'une communauté politique et le moyen discriminant de contrôler une population, de lui imposer une autorité, d'affecter et d'influencer son comportement[20].

Le pouvoir ne se concentre donc pas nécessairement dans des États territoriaux; tout système de pouvoir a une certaine extension dans l'espace, mais qui ne prend pas nécessairement la forme de l'État territorialisé[21]. Les systèmes de pouvoir ne sont pas nécessairement territoriaux, ni territorialement fixés, et même quand ils le sont, le concept de territoire n'est pas nécessairement exclusif. Par exemple, le système médiéval d'autorité ne correspond pas à une forme exclusive

---

19. Voir notamment A. Behnke, «Citizenship», *op. cit.*; John G. Ruggie, «Territoriality and Beyond: Problematizing Modernity in International Relations», *International Organization*, 47, 1, 1993, p. 139-174; B. Badie, *La fin des territoires, op. cit.*
20. B. Badie, *La fin des territoires, op. cit.*, p. 11-12. En tant que systèmes sociaux, les territoires se constituent à différents niveaux spatiaux et ont des significations différentes; ils sont constitués «par la fonction, la culture et l'identité partagée, la mobilisation et la direction politiques, et les institutions», ces différents aspects ne coïncidant pas toujours (Michael Keating, *The New Regionalism in Western Europe. Territorial Restructuring and Political Change*, Edward Elgar, 1998, p. 8) (traduction de l'auteure).
21. J. Ruggie, «Territoriality and Beyond», *op. cit.*, p. 148.

de territorialité, ni à la notion de frontières fixes entre les ensembles territoriaux[22].

Il importe par conséquent de comprendre la forme particulière de territorialité propre à la modernité politique comme un idéal normatif d'organisation géographique et comme mode d'organisation sociale et économique. En tant qu'idéal normatif d'organisation géographique, la territorialité masque des rapports de pouvoir, la fonction première de la territorialisation étant de faire du territoire un mode de contrôle sur les personnes et les ressources. La territorialité constitue en effet la « tentative, par un individu ou un groupe, d'agir sur, d'influencer ou de contrôler des personnes, des phénomènes et des relations, en délimitant et en contrôlant une aire géographique (cette aire étant le territoire)[23] ». En tant que mode d'organisation sociale et économique, la territorialité étatique s'inscrit notamment dans une dynamique de déterritorialisation et de reterritorialisation sous-tendant l'organisation spatiale du capital depuis (au moins) la révolution industrielle. Comme le souligne en effet Neil Brenner, l'histoire géographique du capitalisme montre que ce dernier suppose une dynamique de déterritorialisation et de reterritorialisation à travers laquelle la dimension spatiale des rapports sociaux est continuellement « construite, déconstruite et reconstruite[24] ». Bien que ce processus ne soit pas le seul à influencer la représentation spatiale des rapports sociaux, il joue cependant un rôle fondamental.

L'idéal de la souveraineté territoriale joue un rôle fondamental dans ce modèle. Sa prépondérance finira par éliminer toute possibilité de concevoir autrement l'organisation du pouvoir. Une fois introduit, il influence les transformations subséquentes du système d'États de manière significative, au point d'écarter les conceptions concurrentes d'organisation du pouvoir et d'en devenir le seul cadre imaginable[25].

22. *Ibid.*, p. 150.
23. R.D. Sack, *Human Territoriality, op. cit.*, p. 19 (traduction de l'auteure).
24. Neil Brenner, « Beyond State-Centrism ? Space, Territoriality, and Geographical Scale in Globalization Studies », *Theory and Society*, 28, 1999, p. 43.
25. Alexander B. Murphy, « The Sovereign State System as Political-Territorial Ideal : Historical and Contemporary Considerations », dans Thomas J.

Le poids de cet idéal s'accroît constamment à partir des Traités de Westphalie (1648), d'une part à cause des avantages que représente une stratégie territoriale efficace quant à l'exercice de l'autorité et au contrôle de la population et des ressources et, d'autre part, parce que la consolidation du pouvoir dans des territoires délimités entraîne une certaine différenciation des systèmes sociaux, économiques et culturels[26]. L'idéal exerce une influence sur les pratiques sociales elles-mêmes, notamment grâce à l'homogénéisation des populations. En effet, comme le soulignent J. Agnew et S. Corbridge, la construction nationale et l'homogénéisation des populations soumises à un centre politique eurent comme conséquence que de nombreuses pratiques sociales ont dans les faits été délimitées par les frontières étatiques, et ce, bien qu'évidemment les clivages sociaux ne soient pas tous réductibles ou assimilables à la forme stato-territoriale et que le degré d'homogénéisation et d'intégration, tout comme les modes de consolidation, varient selon les États/régions et les périodes.

Le modèle de l'État territorialement souverain comporte trois postulats supplémentaires sur lesquels je veux insister ; ils sont en effet fondamentaux pour comprendre le poids du modèle dans notre imaginaire politique. D'abord, l'État est dans cette optique traité comme l'équivalent moral et ontologique d'une personne individuelle. Cette homologie, de pair avec la négligence des règles sociales du phénomène étatique et de la territorialisation des réseaux de pouvoir, conduit à privilégier ontologiquement l'État comme lieu *unique* du pouvoir et de l'identité politiques[27]. Cette stratégie conceptuelle comporte deux aspects : elle justifie la concentration du pouvoir entre les mains d'un unique souverain, en ce qui concerne la nécessité d'assurer la sécurité des individus ; et elle permet d'attribuer les qualités d'une personne à la figure de l'État. L'État apparaît alors comme la solution territoriale au problème des relations sociales à l'intérieur d'un groupe donné, et comme étant construit sur le mode de la

---

Biersteker et Cynthia Weber (dir.), *State Sovereignty as Social Construct*, Cambridge, Cambridge University Press, 1996, p. 91.

26. *Ibid.*, p. 89-91.
27. J. Agnew, « Mapping Political Power », *op. cit.*, p. 500.

personnalité[28]. Ce postulat occulte cependant le fait que le concept d'État est une identité subjective et contingente, résultant de luttes pour le contrôle, le pouvoir et la reconnaissance[29]. Il dépend de la capacité de ces entités d'engendrer loyauté et soutien, ainsi que des caractéristiques du pouvoir structurel, de ces réseaux sociaux dans lesquels s'enracinent les relations coercitives et discursives de pouvoir et dont l'exercice présuppose des règles de conduite acceptées[30].

Le second postulat fondamental véhiculé par ce modèle est l'idée que la société civile est incapable de s'organiser par elle-même sans contrôle politique sur les conflits. Les conflits religieux constituent la figure initiale de ces conflits qui déchirent la société civile ; c'est dans ce contexte que seront élaborées la doctrine de la souveraineté et celle des obligations politiques (comme l'explique la dernière section de ce chapitre). Les conflits religieux qui déchirent l'Europe des XVIe et XVIIe siècles permirent à l'État d'apparaître comme un pouvoir neutre à l'interne[31]. La corrélation de l'élaboration de la doctrine de la souveraineté et de la théorie moderne des obligations politiques dans ce contexte précis est lourde de sens. Il n'est ainsi pas anodin que la conception de Jean Bodin comporte l'idée de la souveraineté comme un pouvoir qui donne forme à une matière amorphe, autrement incapable d'unité[32].

Le troisième postulat associé au modèle veut que la sphère des principales obligations éthiques soit restreinte à la communauté des citoyens. Les obligations politiques qui nous lient à l'État et à nos concitoyens ont dans ce cadre préséance sur les obligations morales envers l'ensemble de l'espèce humaine[33]. Nos obligations envers les

28. *Ibid.*, p. 509-510.
29. *Ibid.*, p. 510. Voir aussi Thomas J. Biersteker et Cynthia Weber, « The Social Construction of State Sovereignty », dans T. Biersteker et C. Weber (dir.), *State Sovereignty as Social Construct, op. cit.*, p. 3 et 11.
30. J. Agnew, « Mapping Political Power », *op. cit.*, p. 511-512.
31. Voir Paul Hirst, *From Statism to Pluralism*, UCL Press, 1997, p. 228.
32. Douglas Moggach, « Concepts of Sovereignty : Historical Reflections on State, Economy and Culture », *Studies in Political Economy*, 59, 1999, p. 180.
33. Les théoriciens comme Samuel Pufendorf développèrent l'argument que la citoyenneté transforme en quelque sorte des droits et devoirs moraux imparfaits (ceux de la condition précivique) en droits et devoirs juridiques

étrangers ne sont pas ici de la même nature que les droits et devoirs traduits dans le droit positif à l'intérieur de l'État territorial[34]. Comme le résume fort bien Andrew Linklater,

> être un citoyen signifie avoir des droits par rapport à, et des devoirs concrets envers, un État souverain précis, plutôt que des devoirs volontaires et imprécis envers le reste de l'humanité ; c'est appartenir à une communauté politique précise qui possède le droit de s'autodéterminer collectivement, et qui peut décider qui peut en devenir membre et qui peut être exclu ; c'est avoir un lien spécial avec d'autres qui décident ensemble s'il faut accepter des obligations morales contraignantes envers les étrangers et comment remplir les devoirs qu'ils s'imposent à eux-mêmes[35].

par exemple, Ryoa Chung (qui s'intéresse à la nature des obligations morales de la communauté internationale face à la pandémie africaine du sida) montre que dans la mesure où le domaine de la justice politique est circonscrit, du point de vue conceptuel, à l'échelle étatique (« intérieure »), les obligations morales de la communauté internationale relèvent davantage d'un principe de bienfaisance et donc d'obligations surérogatoires[36].

---

de citoyens dans l'environnement sécurisé de l'État territorial souverain (Andrew Linklater, « Citizenship and Sovereignty in the Post-Westphalian European State », dans Daniele Archibugi, David Held et Martin Köhler (dir.), *Re-imagining Political Community. Studies in Cosmopolitan Democracy*, Stanford, Stanford University Press, 1998, p. 25-26). Voir aussi Stephan C. Neff, « International Law and the Critique of Cosmopolitan Citizenship », dans Kimberly Hutchings et Roland Danreuther (dir.), *Cosmopolitan Citizenship*, St. Martin's Press, 1999, p. 108.

34. A. Linklater, « Citizenship and Sovereignty », *op. cit.*, p. 25-26.
35. *Ibid.*, p. 24 (traduction de l'auteure).
36. Ryoa Chung, « Réflexions normatives sur la justice globale sous le prisme des soins de santé », Colloque « Les normes internationales au 21ᵉ siècle », Aix-en-Provence, septembre 2003, p. 12. Elle explique que dans la doctrine kantienne du devoir moral, les obligations morales sont divisées en deux catégories conceptuelles, soit les devoirs de droits et les devoirs de vertu. Les premiers sont corrélés à des droits individuels négatifs ; ils dictent des obligations strictes inconditionnelles, soumises à la contrainte des institutions juridiques (*Ibid.*, p. 10). Les devoirs d'entraide et de charité relèvent de la seconde catégorie (les devoirs de vertu), obligations considérées comme imparfaites puisqu'elles sont conditionnelles à la

Dans le cadre du modèle de l'État territorial souverain décrit ici, les obligations morales internationales sont donc davantage conçues sur le mode de la charité, dans la mesure où, comme l'affirme Chung, « les devoirs d'entraide internationale revêtent […] les caractéristiques usuelles des devoirs de vertu qui échappent à toute contrainte institutionnelle et dépendent de la bonne volonté des agents à bien vouloir accomplir des obligations surérogatoires qui excèdent les réquisits de la justice[37] ». Si, comme je le crois, ces devoirs sont en fait beaucoup plus contraignants et que le modèle politique dominant ne permet pas de rendre compte de ce caractère ni d'institutionnaliser des pratiques de justice qui y répondent, il y a là une raison supplémentaire de redéfinir l'espace du politique[38].

Sur le plan théorique, c'est avec Bodin que le pouvoir souverain devient un attribut distinctif de l'État. Pour Bodin, le dirigeant dispose d'une autorité absolue sur son royaume et la souveraineté désigne, suivant la formule bien connue le pouvoir de commander et de contraindre sans être commandé ni contraint par qui que ce soit sur terre. « Dans *Les Six Livres de la République*, le pouvoir souverain représente l'attribut distinctif de l'État. Il est, par définition, *absolu* et *perpétuel*, il est *indivisible*, il a un *caractère originaire* et se manifeste essentiellement par la fonction *législative*[39] ». Chez Hobbes,

---

capacité des agents de les satisfaire (les agents moraux disposent ici d'une marge discrétionnaire) et ne sont pas nécessairement soumises à des contraintes institutionnelles (c'est pourquoi on les qualifie d'obligations surérogatoires) (*Ibid.*, p. 11). Les obligations de bienfaisance ne correspondant pas à la relation de symétrie entre droit et devoir corrélatifs, il est difficile de déterminer à qui incombe le devoir corrélatif de venir en aide (*Ibid.*).

37. *Ibid.*, p. 12.

38. J'expliquerai au chapitre 3 que les défenseurs du nationalisme libéral surestiment le caractère volontaire et responsable de la coopération entre citoyens à l'intérieur de l'État national. L'importance des contraintes institutionnelles qui assurent cette coopération à l'intérieur de l'État (par exemple, la redistribution effectuée au moyen du système fiscal) plaide en faveur de l'établissement d'un cadre institutionnel global de redistribution.

39. Franco Fardella, « Le dogme de la souveraineté de l'État : un bilan ? », *Archives de philosophie du droit*, 41, 1997, p. 117. Sur le concept de souveraineté chez Bodin, voir aussi David Held, « Law of States, Law of Peoples : Three Models of Sovereignty », *Legal Theory*, 8, 1, 2002, p. 3.

les individus, en décidant du contrat social, transfèrent au souverain l'ensemble de leurs droits et libertés. Dans cette tradition, le pouvoir politique exige le transfert absolu de la souveraineté populaire à l'État[40]. On remarquera cependant qu'il est difficile de soutenir cette définition de la souveraineté comme propriété absolue et indivisible échappant au corps politique dès lors qu'est introduite une justification libérale démocratique de l'exercice du pouvoir[41]. Il faut cependant remarquer que cette difficulté peut être considérablement réduite lorsque l'État se présente comme la personnification de la nation (personnification qui peut d'ailleurs prendre des formes diverses) ; mais l'État retient toujours la souveraineté externe et les aspects centraux de la souveraineté interne[42]. On voit mal comment

---

40. La transcendance de la souveraineté par rapport au corps politique atteint son point culminant avec l'avènement de l'État-nation.

41. Jean-Marc Ferry souligne que bien que l'essence de la notion de souveraineté soit son caractère unique, indivisible et inaliénable, cela ne signifie pas que le pouvoir de l'État soit sans limites. En effet, dans le cadre du droit interne, la compatibilité entre la souveraineté démocratique et la limitation du pouvoir trouve son ancrage dans la distinction libérale entre la source de l'autorité et son exercice. L'autorité qui gouverne la nation doit émaner de la volonté générale, mais celle-ci ne doit exercer sur l'existence individuelle qu'une autorité délimitée. Par conséquent, explique Ferry, dans la conception classico-moderne, qu'elle soit libérale ou républicaine, le peuple s'incarne dans la nation, la nation est le peuple en corps, l'État en est la personnalité juridique et l'élément de volonté, d'action et de responsabilité politiques ; la souveraineté étatique n'a de sens « en tant qu'émanation de la souveraineté *nationale*, que si elle s'appuie sur la volonté et le consentement du peuple en corps, c'est-à-dire sur la souveraineté populaire » (Jean-Marc Ferry, *La question de l'État européen*, Paris, Gallimard, 2000, p. 116). Cependant, même si la souveraineté étatique s'appuie sur la souveraineté populaire, il faudrait pouvoir établir que le lien entre le pouvoir de l'État et la volonté du peuple assure de lui-même le respect des droits fondamentaux des individus et des peuples (ce qui, nous dit Ferry, n'est pas impossible mais difficile) (*Ibid.*, p. 117).

42. La dimension interne concerne l'exercice du pouvoir sur une société, l'autorité finale et absolue sur un territoire. La dimension externe désigne l'absence d'autorité supérieure à l'État souverain, ce qui définit les relations entre États dans le système d'États (D. Held, « Law of States », *op. cit.*, p. 3).

il pourrait en être autrement, étant donné que ces aspects font par définition partie de l'essence du phénomène étatique. C'est en fait, comme je l'ai mentionné, le lien entre souveraineté et territoire qui sous-tend le lien conceptuel entre le pouvoir politique et l'État[43]. C'est d'ailleurs ce lien qui se trouve au cœur des principales difficultés posées par le modèle. Notons qu'il existe historiquement une interdépendance étroite entre l'affirmation de la souveraineté en tant que contrôle d'un territoire par un dirigeant et la reconnaissance de la souveraineté comme principe constitutif du système d'États : les Traités de Westphalie instituent à la fois le principe *cuius regio, eius religio* (telle la religion du prince, telle celle du royaume) et la reconnaissance mutuelle de ce principe comme base du système d'États européen.

C'est dans ce cadre que la citoyenneté (définie comme l'appartenance à un État territorialement souverain) devient l'axe principal de définition de l'identité publique, identité qui doit rassembler les citoyens par-delà leurs autres convictions et identifications. La citoyenneté acquiert une priorité sur les autres allégeances, comme l'illustrent le développement de la tolérance religieuse et les arguments du libéralisme dit politique[44]. La citoyenneté correspond ainsi à une définition de l'identité politique spatialement exclusive[45] : à l'intérieur de ce territoire, délimité par des frontières, l'espace politique est en principe homogène, dans la mesure où ne coexistent plus différents espaces politiques (articulés notamment autour des privilèges de l'aristocratie et du clergé) et où ceux qui y habitent sont des citoyens (ou des étrangers)[46]. Ainsi, la citoyenneté offre, selon les termes de R.B.J. Walker, « une forme d'inclusion qui dépend d'un

---

43. J. Agnew, « Mapping Political Power », *op. cit.*, p. 513.
44. C'est-à-dire le libéralisme qui ne se conçoit pas comme une doctrine morale générale, et qui propose plutôt qu'il faut articuler les principes publics de la vie commune des citoyens des démocraties libérales par-delà leurs convictions morales particulières.
45. Suivant l'expression de J. Agnew et S. Corbridge, *Mastering Space, op. cit.*, p. 86-87.
46. C'est pourquoi Behnke dit que la territorialité de l'État moderne définit un espace politique *non stratifié* (A. Behnke, « Citizenship », *op. cit.*, p. 253).

modèle clair d'exclusion spatiale[47] », s'inscrivant dans la perspective
d'un écart entre les sujets modernes individualisés et le monde qui les
entoure et défiant toute revendication à une communauté universelle
de l'espèce humaine. Dans cette perspective, « [d]es lieux particuliers,
États souverains et/ou individus souverains, furent investis de l'autorité suprême. Cette conception défie la possibilité d'éroder jamais
la ligne de démarcation entre l'inclus et l'exclu, le citoyen et l'étranger, de manière à permettre une citoyenneté du monde[48] ».

La nation

Le portrait de l'État moderne comme espace politique et normatif
reste incomplet si l'on néglige l'importance de l'introduction de
l'idée de nation. Celle-ci fait aujourd'hui partie intégrante de l'appareil conceptuel moderne du politique. Elle représente la principale
dimension identitaire de notre compréhension de l'État, au point
que la construction d'une identité nationale est apparue comme
tâche fondamentale aux architectes des États modernes[49].

L'idée moderne de nation vient en effet soutenir la notion de
citoyenneté, en fournissant la base sociale et culturelle d'intégration
à l'identité politique. Comme le souligne Jürgen Habermas, ce qui a
permis la mobilisation politique des citoyens, c'est l'émergence d'une
idée capable de rassembler des individus autrement étrangers les
uns aux autres et de les mobiliser comme membres d'une même

---

47. R.B.J. Walker, « Citizenship after the Modern Subject », dans K. Hutchings
    et R. Danreuther (dir.), *Cosmopolitan Citizenship*, *op. cit.*, p. 179 (traduc-
    tion de l'auteure).
48. *Ibid.* (traduction de l'auteure).
49. Les formes de construction de la nation et de l'identité nationale varient,
    évidemment. Comme l'objectif ici est de schématiser les relations
    mutuelles entre les différentes catégories constitutives du modèle
    conventionnel de l'État, je ne peux pas aborder ces différentes « déclinai-
    sons » de construction de la nation et de la citoyenneté. L'important pour
    mon propos est le rôle normatif que joue l'idée moderne de nation dans
    le modèle ; c'est pourquoi l'argument s'en tient à un certain degré
    d'abstraction.

communauté[50]. L'idée de nation vient entre autres suppléer au fait que normativement, les frontières sociales et territoriales d'un État, même constitutionnel, sont contingentes[51], dans la mesure où elles sont essentiellement le résultat des guerres et de la politique de puissance. L'idée de nation fournit un substrat normatif identitaire permettant de légitimer des frontières qui ne sont en général ni naturelles, ni justifiées moralement[52]. L'adoption du principe d'autodétermination nationale comme principe justificatif par les États modernes (et ce, même quand leurs membres ne constituent pas une nation au sens strict) sert ainsi deux objectifs, soit celui de fournir un principe de démarcation et celui de renforcer « la prétention que les membres de l'État partagent, outre des institutions de coordination, quelque chose qui évoque en eux des sentiments de solidarité et de fraternité. Les conditions de l'association avancées par l'État libéral renforcent donc la conception de l'État comme communauté historique distincte plutôt que comme association volontaire[53] ».

L'introduction d'une justification identitaire normative à l'appui de la clôture de l'espace géographique est particulièrement importante dans la mesure où le territoire constitue le support fonctionnel des principales catégories politiques de l'État moderne et où, comme je l'ai mentionné, le lien conceptuel entre le pouvoir politique et l'État repose sur le lien entre souveraineté et territoire. Il ne s'agit donc pas seulement de se demander, pour paraphraser Charles Taylor, « pourquoi les nations veulent devenir des États[54] », mais aussi (et peut-être surtout !) pourquoi la plupart des États ont tenté de

---

50. Jürgen Habermas, « The European Nation-State. Its Achievements and Its Limitations. On the Past and Future of Sovereignty and Citizenship », *Ratio Juris*, 9, 2, 1996, p. 129-130.
51. *Ibid.*, p. 131-132.
52. Voir par exemple Y. Tamir, *Liberal Nationalism, op. cit.*
53. *Ibid.*, p. 123-124 (traduction de l'auteure).
54. Charles Taylor, « Why Do Nations Want to Become States », dans Stanley G. French (dir.), *Philosophers Look at Canadian Confederation/La confédération canadienne : qu'en pensent les philosophes ?*, Montréal, Association canadienne de philosophie, 1979, p. 19-35.

devenir des nations. Je reviendrai sur cette question au chapitre 4, lorsque j'aborderai la question des nationalismes. Je veux pour l'instant insister sur le fait que l'appartenance à une nation est liée à la question de la légitimité politique, dans la modernité. Avec l'effritement des sociétés d'Ancien Régime (fondées sur la souveraineté monarchique plutôt que populaire), il y a en effet un changement dans la source de légitimité du pouvoir politique. Cette source est dès lors située dans le peuple.

Deux éléments doivent être soulignés à cet égard. D'abord, il faut insister sur le fait que, comme le mentionne Yaël Tamir, il y a rapidement un glissement (illustré par exemple par le discours politique de la France révolutionnaire) d'une justification démocratique de la souveraineté populaire à une justification de type nationaliste, qui conduit à vouloir assimiler la nation à l'ensemble des citoyens[55]. Ainsi, en Europe occidentale entre 1870 et 1914, la consolidation de l'État comporte « la tentative de fournir un degré de légitimité populaire aux relations de pouvoir cristallisées dans l'État-nation, bien que les modalités précises aient varié selon les cas. Le point commun de ces modalités, cependant, fut l'importance du nationalisme qui, d'idéologie révolutionnaire en partie inspirée par l'idéalisme démocratique, est reformulé comme une idéologie exigeant la loyauté à l'État-nation[56] ». Sur le plan empirique des pratiques de consolidation de l'État, on passe ainsi à ce que Brian Jenkins et Spyros A. Sofos qualifient d'optique plus conservatrice d'adaptation du modèle de citoyenneté afin d'intégrer les classes subordonnées à l'ordre social et de promouvoir leur loyauté à l'État établi. Dans cette optique, « tout fut fait pour entretenir l'image d'un ensemble de citoyens socialement indistincts définis d'abord et avant tout par leur appartenance à une « nation ». Dans ce but, les États tentèrent d'entretenir le sens d'une communauté nationale[57] ». Cette combinaison

55. Y. Tamir, *Liberal Nationalism*, *op. cit.*, p. 60-61.
56. Brian Jenkins et Spyros A. Sofos, « Nation and Nationalism in Contemporary Europe : A Theoretical Perspective », dans B. Jenkins et S.A. Sofos (dir.), *Nation and Identity in Contemporary Europe*, Londres/New York, Routledge, 1996, p. 20 (traduction de l'auteure).
57. *Ibid.* (traduction de l'auteure).

entre un modèle de citoyenneté et une composante exclusiviste tend à faire de l'assimilation à la culture hégémonique une condition de citoyenneté. Stéphane Pierré-Caps suggère que la définition de la souveraineté comme propriété absolue et indivisible appartenant au souverain indépendamment du corps politique culmine avec l'avènement de l'État-nation, «puisque dans celui-ci l'État entend se confondre avec le corps politique, dès lors qu'il prétend personnifier la nation[58]».

Mais il faut aussi souligner (car cela m'apparaît négligé, notamment dans la philosophie libérale contemporaine) que l'idée moderne de nation (qui correspond à un changement relatif à la source de la légitimité politique à l'intérieur de l'État souverain) a historiquement servi à consolider l'engagement envers l'idéal de l'exercice d'une forme impersonnelle de souveraineté sur un territoire, processus préalablement amorcé. Cela ne signifie pas que les modalités de consolidation de l'État sont partout identiques, ni que les États présentent tous le même degré de centralisation. Certains États multinationaux et

---

58. Stéphane Pierré-Caps, «L'Union européenne, demos et légitimité : de l'État-nation à la multination», *Civitas Europa. Revue juridique sur l'évolution de la nation et de l'État en Europe*, 1, 1, 1998, p. 41. Le modèle de l'État-nation repose sur la démonstration que la nation est porteuse de l'idée de liberté. «C'est pourquoi la souveraineté nationale devait fournir le nouveau fondement de la légitimité étatique, et le principe des nationalités inviter un peuple à dissoudre les liens politiques qui l'attachaient à un autre ou à un État qui n'était plus légitimement habilité à le représenter [...] À chaque nation son État : cette alchimie politique conjugue le droit des peuples à disposer d'eux-mêmes ou droit à l'autodétermination, version moderne du principe des nationalités [...] et le principe non moins intangible de l'unité de l'État» (Stéphane Pierré-Caps, «Karl Renner et l'État multinational : contribution juridique à la solution d'imbroglios politiques contemporains», *Droit et société*, 27, 1994, p. 423). À son avis, on peut remettre en cause cette adéquation de l'État et de la nation et faire reposer la question de la légitimité et de la souveraineté plutôt «sur la nation en tant que communauté politique juridiquement instituée par la constitution» (S. Pierré-Caps, «L'Union européenne», *op. cit.*, p. 43). Voir aussi F. Fardella, «Le dogme de la souveraineté de l'État», *op. cit.*, p. 123, et D. Moggach, «Concepts of Sovereignty», *op. cit.*, p. 186-187.

d'anciens empires présentent par exemple des modes plus diffus de souveraineté interne. Il n'en demeure pas moins que le principe des nationalités (qui veut que toute nation ait droit à son État souverain) n'a pas servi à remettre en cause la forme organisationnelle de l'État unifié et l'idéal de souveraineté territoriale qui le sous-tend. Comme le dit fort bien Pierré-Caps, le principe des nationalités ne s'est pas attaqué au pouvoir *de* l'État, mais bien *à l'origine du pouvoir dans* l'État, fournissant à ce dernier un nouveau support de légitimité. Cependant, même les libéraux qui remettent en cause le paradigme de l'État homogène et reconnaissent les liens étroits entretenus par le libéralisme et le nationalisme négligent ce fait. Les sociétés démocratiques libérales héritent en fait d'une structure organisationnelle érigée par l'absolutisme.

Cela explique aussi que le modèle permette difficilement la reconnaissance des droits et projets collectifs des minorités nationales et culturelles. Le discours des droits individuels est porté par le discours sur la souveraineté de l'État ; il y a notamment un lien historique étroit entre l'émergence de la tolérance libérale et l'État territorial souverain (comme je l'expliquerai dans la dernière section de ce chapitre). Ainsi, les politiques de consolidation de l'État peuvent très bien être mises en œuvre aux dépens des minorités nationales sans qu'il y ait pour autant violation des droits individuels au sens strict. Cela peut se faire par exemple par la colonisation du territoire historique d'une minorité nationale, par la délimitation des unités infra-étatiques de manière à éviter qu'une minorité nationale ne forme une majorité localement, ou encore par l'adoption de la langue de la majorité comme seule langue officielle[59]. De plus, la question des minorités nationales[60] est délicate

---

59. Will Kymlicka et Christine Straehle, «Cosmopolitanism, Nation-States, and Minority Nationalism : A Critical Review of Recent Literature», *European Journal of Philosophy*, 7, 1, 1999, p. 183-212.
60. J'utilise pour l'instant le terme « minorités nationales » au sens large, comme le fait une bonne partie de la littérature (en langue anglaise notamment), pour désigner tous les groupes nationaux minoritaires, qu'il s'agisse de minorités nationales ou de nations minoritaires. Je soulignerai au chapitre 4 qu'il faudrait pour être rigoureux garder à l'esprit la distinction établie par Michel Seymour entre ces types de groupes nationaux.

précisément parce que ces groupes possèdent la caractéristique qui constitue en principe le fondement normatif de l'indépendance politique dans le système moderne d'États-nations, alors que les États existants tiennent pour des raisons évidentes à en conserver le monopole. La reconnaissance des droits individuels d'égale citoyenneté ne menace pas la souveraineté des États existants, mais un système international de droits des minorités nationales « accorderait un statut international [...] à des unités nationales qui pourraient rivaliser avec le pouvoir ou l'autorité des États-nations touchés, ou, à tout le moins, cadreraient mal avec le système d'États-nations[61] ».

Sur le plan du système interétatique, le principe des nationalités (qui veut que toute nation ait droit à son État souverain) a d'ailleurs connu une histoire tordue et des applications arbitraires, qui contribuent elles aussi à souligner les difficultés empiriques et normatives de la conjugaison de la nation avec le modèle de l'État territorial souverain. Au lendemain de la Première Guerre mondiale, les traités de paix laissent ou transfèrent en situation de minorité nationale entre 25 et 30 millions de personnes[62]. Lors des négociations de paix qui conclurent la Seconde Guerre mondiale, les délégués britanniques et américains s'opposèrent à ce qu'on accorde aux minorités nationales des droits tels que ceux qui étaient contenus dans les traités placés sous l'égide de la Société des Nations (dont les garanties, d'ailleurs, n'étaient pas destinées à constituer des critères universels de protection des droits des minorités et étaient surtout motivées par des considérations de paix et de stabilité)[63]. C'est ce qui explique que Britanniques et Américains aient alors entériné de vastes transferts de population,

---

61. Jennifer Jackson Preece, *National Minorities and the European Nation-States System*, Oxford, Clarendon Press, 1998, p. 43 (traduction de l'auteure).

62. Carlile Aylmer Macartney, *National States and National Minorities*, New York, Russell and Russell, 1968, p. 211.

63. J. Jackson Preece, *National Minorities and the European Nation-States System, op. cit.*, p. 89. Ce sont également des considérations de cet ordre qui sont à l'origine des réflexions menées ces dernières années par l'Organisation pour la sécurité et la coopération en Europe (OSCE) relativement aux droits des minorités et à leur participation à la vie publique étatique.

considérant que la meilleure manière de traiter le problème des minorités, lorsqu'on ne pouvait les assimiler, était de les relocaliser[64]. Les responsables de l'élaboration de la Charte des Nations unies semblent avoir accepté l'idée que la protection des minorités devait prendre la forme de la défense des droits humains, non des droits nationaux[65]. Le droit à l'autodétermination des peuples sera en pratique, par la suite, largement limité aux peuples des colonies d'outre-mer réclamant l'indépendance, ce qui renforce la légitimité de l'État[66]. Pierré-Caps parle ainsi de «la réduction du droit à l'autodétermination à un droit à la décolonisation opérée par la pratique des Nations unies pour le plus grand profit du modèle politique de l'État-nation», et ce, bien qu'il souligne la présence d'un droit «souterrain» n'allant pas dans le sens du pullulement étatique[67]. C'est ainsi que s'installe une tendance

---

64. Ainsi, dans un discours aux Communes portant sur le déplacement des frontières de la Pologne vers l'est, Churchill déclarera que «l'expulsion est la méthode qui, autant que nous puissions le prévoir, se présente comme la plus satisfaisante et durable. Il n'y aura pas de mélange de populations pour causer des problèmes interminables [...] Nous ferons table rase» (cité par C.A. Macartney, *National States and National Minorities*, *op. cit.*, p. 505-506) (traduction de l'auteure).

65. *Ibid.*, p. 507.

66. A.B. Murphy, «The Sovereign State System», *op. cit.*, p. 105; James Crawford et Susan Marks, «The Global Democratic Deficit», dans D. Archibugi, D. Held et M. Köhler (dir.), *Re-imagining Political Community*, *op. cit.*, p. 76.

67. Stéphane Pierré-Caps, «L'autodétermination: d'un principe de création de l'État à un principe de constitution de l'État», dans Olivier Audéoud, Jean-Denis Mouton et Stéphane Pierré-Caps (dir.), *L'État multinational et l'Europe*, Presses universitaires de Nancy, 1997, p. 33. Il situe l'origine contemporaine de ce droit souterrain dans le rapport spécial du sous-comité chargé de la rédaction de l'article premier de la Charte. Ce rapport proposait d'appliquer le droit à l'autodétermination aux États, aux nations et aux peuples, n'excluant donc pas du champ d'application du principe les peuples non coloniaux ou les peuples qui, bien que représentés dans le gouvernement d'un État plurinational ou multinational, aspirent tout de même à l'autonomie complète (*Ibid.*, p. 34). Il voit aussi des signes d'une conception alternative dans la résolution 1541 de l'Assemblée générale, résolution qui fait de l'indépendance étatique l'*une* des trois voies possibles d'évolution d'un territoire non autonome, évitant de réduire le droit des peuples à disposer d'eux-mêmes à l'indépendance étatique (droit générique à l'autonomie nationale).

lourde à associer protection des minorités et droits individuels, sur laquelle je reviendrai dans le dernier chapitre, tendance d'autant mieux comprise qu'elle est située dans l'optique du modèle de l'État moderne et du système d'États.

Spécifions pour terminer cette section que les nations sont des phénomènes de l'espace public et qu'elles constituent, dans la modernité politique, un sujet collectif, capable de se projeter dans le temps pour soutenir une action politique durable[68]. Margaret Canovan suggère de définir les nations comme « des communautés politiques expérimentées *comme si* elles étaient des communautés de parenté, le *comme si* étant fondamental[69] ». Elle suggère que la particularité de l'appartenance nationale réside dans trois facteurs : la clé de l'appartenance nationale comme phénomène politique est la médiation qu'elle réalise entre différents aspects de l'expérience et entre les membres de la nation ; cette activité de médiation permet à la nation d'agir comme réservoir et génératrice de pouvoir politique ; ce faisant, les nations prennent l'apparence d'un phénomène naturel. Les individus ne constituent pas une nation en vertu de similarités personnelles, mais bien parce qu'ils partagent quelque chose qui leur est extérieur : « au lieu d'être des ensembles de gens qui (comme individus) présentent des similarités, les nations unissent leurs membres en reposant à l'extérieur d'eux et entre eux[70] ». Le nationalisme consiste pour sa part à faire de la nation un sujet politique et le contenu normatif de la nationalité réside dans l'autodétermination ; j'y reviendrai au chapitre 4.

---

68. Margaret Canovan, *Nationhood and Political Theory*, Cheltenham, Edward Elgar, 1996. Voir aussi Michael Keating, *Les défis du nationalisme moderne. Québec, Catalogne, Écosse*, Montréal/Bruxelles, Presses de l'Université de Montréal/Presses interuniversitaires européennes, 1997, p. 17.
69. *Ibid.*, p. 59 (traduction de l'auteure).
70. M. Canovan, *Nationhood and Political Theory, op. cit.*, p. 71 (traduction de l'auteure).

Le libéralisme et l'État territorial souverain

J'ai mentionné plus tôt le lien qui unit l'émergence de la notion de tolérance (dans le contexte des guerres de religion) et celle du concept de souveraineté. Cette correspondance permet de lever le voile sur les liens étroits entre le libéralisme comme système de pensée et l'État territorial souverain. À mon sens, on n'a pas non plus assez insisté sur les conséquences de ces liens pour la théorie moderne des obligations politiques et la restriction de nos obligations envers l'humanité que cette théorie justifie. On retrouve ici le paradoxe formulé par certains comme étant celui de la particularisation de certains principes universels fondamentaux à l'intérieur d'entités étatiques, particularisation qui restreint l'universalité de ces principes.

Les liens du libéralisme avec la forme organisationnelle de l'État unifié sont restés à la marge des principaux courants d'analyse, peut-être parce que cela n'est pas vu comme constituant un problème; mais cela relève peut-être aussi d'une naturalisation (involontaire) de la forme de l'État territorial souverain. On néglige trop souvent, dans le libéralisme contemporain, le fait que l'introduction de l'idée moderne de nation vient en fait solidifier l'engagement envers l'idéal, déjà présent, de souveraineté territoriale.

Si on examine le développement historique de l'État et du libéralisme en Europe occidentale, on peut presque parler d'une liaison entre les deux processus. Pour en déceler le fil conducteur, il faut retourner au contexte encadrant l'émergence de la forme libérale de la tolérance[71]. Le moment fondateur du système d'États européen se cristallise dans les Traités de Westphalie, à cause de la reconnaissance mutuelle de la souveraineté qu'ils comportent. Ceux-ci consacrent le droit du dirigeant d'une entité politique souveraine d'imposer l'uniformité religieuse à son peuple. Ils illustrent donc la création d'un système d'États souverains, système fondé d'une part sur la reconnaissance du droit du souverain de décider des questions

---

71. En ce qui concerne ce thème, les paragraphes qui suivent reprennent essentiellement l'explication développée dans G. Nootens, « Nœuds et dénouements », *op. cit.*

religieuses sur son territoire et d'autre part sur la reconnaissance mutuelle de cette capacité. Les Traités de Westphalie n'établissent pas la tolérance religieuse, certainement pas en tout cas sous sa forme libérale axée sur la liberté de conscience des individus ; ils n'assurent pas la coexistence pacifique des diverses confessions religieuses à l'intérieur des États européens.

Or, en l'absence de cette coexistence, l'ordre « interne » était intrinsèquement instable. C'est pourquoi Jean Bodin, comme plusieurs autres théoriciens politiques, en vint à affirmer que bien que l'uniformité religieuse constitue un but hautement louable et qu'elle soit certainement souhaitable, il était pourtant primordial d'éviter la guerre civile et la ruine du royaume. Quentin Skinner souligne à cet égard que bien que l'argument politique en faveur de la tolérance religieuse ait été défendu après 1560-1562 par des humanistes, cet argument a surtout été défendu par des individus considérant la liberté religieuse, non pas comme une valeur morale positive, mais plutôt comme une nécessité malheureuse, comme la seule solution à des guerres civiles endémiques[72]. Bodin par exemple nie que les minorités religieuses aient un droit naturel d'être tolérées ; mais il en vient à défendre l'idée que « puisque les religions rivales représentent une telle source potentielle de discorde, elles doivent être tolérées quand elles ne peuvent être supprimées[73] ».

Dans l'établissement d'un argument pour la forme libérale de tolérance (forme à laquelle John Locke donnera plus tard sa formulation classique), cet argument prônant la défense de la prospérité du royaume au prix éventuel de l'uniformité religieuse ne représente qu'un premier moment. Le second moment se cristallise dans l'élaboration d'une théorie de la souveraineté populaire qui affirme le droit moral et politique des individus de résister à un dirigeant illégitime. Ce développement se trouve dans les arguments élaborés par les huguenots pour faire face aux persécutions dont ils font l'objet de la part de la monarchie française. En fait, deux idées fondamentales

---

72. Quentin Skinner, *The Foundations of Modern Political Thought*, vol. 2 : *The Age of Reformation*, Cambridge, Cambridge University Press, 1978, p. 250.

73. *Ibid.*, p. 253 (traduction de l'auteure).

émergent dès le XVIe siècle : l'idée que la société politique existe pour des buts politiques ; le développement d'un argument concernant le droit des individus de résister à des dirigeants illégitimes, c'est-à-dire le développement d'une théorie véritablement politique de la révolution, « fondée sur une thèse sécularisée et distinctement moderne des droits naturels et de la souveraineté première du peuple[74] ». Une théorie constitutionnelle attaquant la théorie de la suprématie royale avait été développée, avant le XVIe siècle, par des théoriciens politiques catholiques opposés aux doctrines absolutistes de la suprématie royale, dans les traditions conciliariste et ockamiste[75]. Les huguenots « ont pu construire sur ces traditions existantes de la pensée constitutionnaliste, les amalgamer avec leur propre héritage des idées révolutionnaires calvinistes, et de cette manière développer une théorie de la résistance capable d'attirer non seulement leurs coreligionnaires, mais aussi une gamme plus large d'opposants au gouvernement[76] ».

Trois éléments méritent d'être soulignés. Premièrement, les théoriciens huguenots développent l'argument que « la condition première et fondamentale des individus en est une de liberté naturelle » et que « toute société politique légitime doit émaner d'un acte de libre consentement du peuple entier[77] ». Les huguenots ont pu établir ainsi une théorie du droit de résistance à laquelle les catholiques aussi pouvaient adhérer, puisqu'elle était d'essence séculière et centrée sur les institutions humaines. Ils ont proposé une thèse séculière des droits naturels et de la souveraineté première des individus. Deuxièmement, ils soutiennent en particulier que la condition fondamentale de l'individu en est une de liberté naturelle et que les dirigeants ont un devoir « de maintenir les droits naturels et inaliénables des individus à leur vie et à leurs libertés – ces dernières étant les propriétés naturelles et fondamentales que chacun est vu comme possédant dans une condition prépolitique[78] ». Ici, par conséquent,

---

74. *Ibid.*, p. 338 (traduction de l'auteure).
75. *Ibid.*, chapitre 4. Voir note 81.
76. *Ibid.*, p. 268 (traduction de l'auteure).
77. *Ibid.*, p. 320 (traduction de l'auteure).
78. *Ibid.*, p. 328 (traduction de l'auteure).

l'origine de la république (*commonwealth*) est le consentement libre et général des citoyens. Troisièmement, ces huguenots introduisent une distinction cruciale entre le contrat purement politique qui incarne le serment mutuel liant le dirigeant et le peuple (*pactum*), d'une part, et l'alliance religieuse (*fœdus*) par laquelle les individus ont le devoir de maintenir les lois de Dieu, d'autre part[79].

Il y a donc deux arguments dont la convergence permettra l'élaboration d'une forme libérale de tolérance religieuse dans le contexte de l'émergence d'États territorialisés souverains en Europe occidentale. Le premier argument établit que le maintien de l'ordre dans le royaume constitue une priorité plus urgente que l'uniformité religieuse ; il a comme corrélat que les conflits religieux ne sont pas pertinents en regard des affaires du gouvernement. Le second argument réside dans l'élaboration d'une théorie constitutionnelle sécularisée de la souveraineté populaire et du droit des individus de résister à un dirigeant qui enfreindrait leurs droits naturels. Le premier argument sous-tend une défense générale et essentiellement pratique de la tolérance ; il illustre le fait que pour les individus qui œuvrent à la consolidation des États émergents, comme pour les théoriciens de la construction de l'État, imposer l'uniformité religieuse constitue une solution instable, et jugée trop coûteuse, aux conflits religieux. La confession religieuse en vient à être considérée comme non pertinente en regard du politique, dont l'objectif est plutôt de maintenir la condition du royaume, son unité, sa prospérité. La société politique a des buts politiques, et les conflits religieux ne

---

79. *Ibid.*, p. 331. Il ne s'agit pas encore d'une théorie pleinement séculière ou populiste du droit de résistance politique, notamment parce que le droit moral de résistance est limité aux magistrats inférieurs et autres représentants élus. C'est en Écosse, dans la seconde partie du XVIe siècle, grâce à George Buchanan et Johannes Althusius, que cette théorie sera pleinement sécularisée, par la mise à l'écart de toute référence à l'alliance religieuse, et que sera élaborée une thèse radicale de la souveraineté populaire, où celle-ci acquiert un caractère direct, plutôt que représentatif, et où les individus sont considérés comme ayant délégué, et non aliéné, leur souveraineté première. Remarquons que c'est également chez Althusius qu'on peut trouver l'origine du concept de subsidiarité, contrepoids conceptuel à l'idée de souveraineté élaborée par Jean Bodin.

doivent pas interférer avec ces buts, puisqu'ils divisent les individus. C'est l'argument développé notamment par Bodin dans *Les Six Livres de la République*.

Le second argument est appelé à fonder ce qui deviendra la forme spécifiquement libérale de la tolérance religieuse. Son développement est lui aussi motivé par des considérations politiques et stratégiques ; mais dans la mesure où il établit le droit individuel à la liberté de conscience et de religion, il deviendra un principe moral fondamental du libéralisme. Il est donc juste d'affirmer que dans le contexte de leur conflit avec la monarchie française, les huguenots ont contribué à développer une théorie de la souveraineté populaire et du droit de résistance qui constituera le fondement de la théorie libérale des obligations politiques et contribuera par conséquent à définir la nature de la relation des individus avec l'État compris comme entité souveraine contrôlant un territoire délimité par des frontières. Des arguments et exigences politiques ont ainsi concouru à faire de la tolérance religieuse une nécessité impérative dans un contexte où les conflits civils relatifs à des désaccords religieux déchiraient les populations d'entités politiques qui situaient de plus en plus leur existence à l'intérieur d'un système d'États territoriaux souverains. Il est significatif que cette théorie, donc, se situe déjà dans le cadre de l'État souverain.

Il ne faut pas, bien entendu, sous-estimer les difficultés et le temps requis pour que s'implante la tolérance comme pratique sociale. Cela n'est certes pas acquis avant le XIXe siècle (et encore). L'établissement de la tolérance sera facilité par l'homogénéisation des populations vivant à l'intérieur des frontières des États et par l'intégration horizontale rendue possible par l'idée moderne de nation. La tolérance libérale a cependant pris forme avec l'émergence d'un discours politique propre à des entités politiques souveraines ; la sécularisation de la vie publique qui l'accompagne symbolise la constitution d'une sphère publique propre à des unités politiques territorialement délimitées et administrées par un État centralisé.

La défense de la tolérance religieuse chez Locke et Voltaire n'apparaît finalement que comme une troisième étape de l'établissement de la tolérance : les arguments épistémologique et moral y sont enracinés dans l'État national territorialisé. Chez Locke par exemple, l'épistémologie relative à la séparation des questions religieuses et de la politique comporte deux aspects : d'une part, l'incertitude de la connaissance humaine en matière de vérité religieuse et, d'autre part, l'articulation positive de la connaissance propre au pouvoir temporel. Ces deux aspects sont intimement reliés : la désignation de la connaissance spécifiquement civile se combine avec l'affirmation de la déficience cognitive en matière de vérité religieuse pour construire un discours politique distinct[80]. Cette facticité du discours civique véhicule en fait deux postulats fondamentaux de la théorie libérale. Il comporte l'affirmation de la nécessaire coïncidence de la culture politique avec une culture majoritaire (coïncidence qui est au cœur du paradigme de l'État homogène), ce qui correspond au fait que le processus de définition de l'espace public s'accompagne généralement de tentatives d'homo-généisation autour d'une culture majoritaire, par exemple au moyen de l'éducation publique obligatoire et de l'imposition d'une langue. Il comporte aussi le postulat d'une coïncidence de l'espace civique (les lieux où les citoyens peuvent participer à la vie politique et au dialogue public) et de l'État territorialisé. Sur ce postulat se fonde l'idée que l'identité politique moderne repose sur l'identification de la citoyenneté avec la résidence dans un espace territorial particulier.

Nous retrouvons ici, et c'est cela qui m'importe davantage que la notion de tolérance pour les fins de mon argument, le fondement de la théorie moderne des obligations politiques : l'élaboration de cette théorie de la souveraineté populaire contribue à définir la nature de la relation des individus avec l'État compris comme entité souveraine contrôlant un territoire délimité par des frontières. Déjà le cadre territorial souverain n'est plus remis en cause, et déjà c'est la relation entre l'individu et cet État qui est situé au cœur du politique. À la théorie de la souveraineté populaire comportant le droit moral et politique des individus de résister à un dirigeant illégitime se joindra

---

80. Kirstie M. McLure, « Difference, Diversity, and the Limits of Tolerance », *Political Theory*, 18, 3, 1990, p. 375.

la négation de la juridiction du pape sur les territoires nationaux, négation qui correspond à l'affirmation plus large de la part des autorités séculières qu'elles constituent le seul pouvoir légitime sur leur territoire, « et par conséquent qu'elles devraient être reconnues comme le seul objet approprié de l'allégeance politique du sujet[81] ». Comme forme organisationnelle, l'État moderne permet difficilement la reconnaissance de corps légalement constitués qui joueraient un rôle de médiation entre lui-même et les individus. Bien entendu, il existe des associations de type intermédiaire, mais elles n'ont pas de droits originaires, inhérents, et sont subordonnées à la relation politique entre l'État et le citoyen. Il est d'ailleurs significatif que l'historiographie étatique officielle ait fait de l'abolition des traditions de partage de la souveraineté entre l'État et des corporations, droits historiques et autres, un critère essentiel de modernité politique[82].

Bon nombre de gens ne comprennent toujours le politique qu'à travers une épistémologie territorialiste, c'est-à-dire qui généralise et naturalise le modèle organisationnel de l'État unifié, et ce, même quand ils prétendent remettre en cause cette territorialisation. Or celle-ci constitue une représentation sociale particulière de l'espace, historiquement imaginée, construite et articulée. Et les pratiques territoriales de l'État comportent des engagements normatifs.

---

81. Q. Skinner, *The Foundations of Modern Political Thought, op. cit.*, p. 89 (traduction de l'auteure). Les deux arguments sont évidemment liés, dans la mesure où les huguenots construisent leur théorie du droit de résistance sur la base des réflexions des conciliaristes et ockamistes qui, en attaquant la suprématie du pouvoir papal, contribuent à spécifier l'existence de deux sphères distinctes, le séculier et le religieux, et leur cadre respectif d'exercice (*Ibid.*, p. 34 et suivantes, ainsi que p. 321 et suivantes).

82. Voir Michael Keating, *Plurinational Democracy. Stateless Nations in a Post-Sovereignty Era*, Oxford University Press, 2001. Alors que pour Keating cette non-reconnaissance des formes intermédiaires d'autorité souveraine a pour origine l'attribution de la souveraineté populaire à la nation, je suis plutôt d'avis que c'est la doctrine de la souveraineté de l'État, ou plus précisément le lien qui est établi entre la souveraineté populaire et celle de l'État, qui constitue la principale difficulté à cet égard.

Il y a trois contraintes importantes posées par le modèle de l'État national territorial souverain, que ce chapitre a voulu souligner : 1) il confine la démocratie à un espace précis, alors même qu'on peut se demander si à l'heure actuelle, pour qu'elle garde un sens, elle ne devrait pas être réarticulée de manière plus complexe, de façon à fonctionner à plusieurs niveaux ; 2) il restreint la sphère de nos obligations éthiques et politiques les plus contraignantes à cet espace, même devant les iniquités flagrantes dans la distribution et l'accès aux biens les plus fondamentaux ; 3) il a conduit à l'assimilation des minorités nationales et culturelles, assimilation souvent fondée sur la contrainte et la coercition (par exemple à l'endroit des langues des minorités).

La philosophie politique libérale s'est penchée sur certaines de ces contraintes. Kymlicka et Tamir par exemple ont contribué à mettre au jour le mythe de la neutralité ethnoculturelle, et tenté d'articuler à un niveau normatif le statut des revendications de divers groupes (nationaux, issus de l'immigration, ou encore féministes, homosexuels, etc.). Ce faisant, ils ont contribué de manière significative au passage du paradigme de l'État homogène au paradigme de l'État multinational, qui tente de formaliser un certain degré de reconnaissance des nations minoritaires, sans pour autant compromettre la stabilité sociale et politique des démocraties libérales.

Cependant, ces théoriciens réaffirment les catégories conventionnelles de l'État territorial souverain, ce qui limite leur capacité non seulement de rendre justice au caractère spécifique de l'appartenance nationale, mais aussi (et peut-être surtout) de faire face aux défis politiques que pose la mondialisation. Ils évitent d'aborder le postulat de la coïncidence entre espace civique et État national territorialisé, c'est-à-dire le fait que dans la modernité la citoyenneté a généralement été associée avec la résidence dans un espace territorial précis. C'est pourquoi, s'il s'agit de repenser le politique, ces travaux ne semblent pouvoir conduire qu'à reproduire à des niveaux supra-étatiques un modèle très particulier de démocratie. Tout comme les nationalistes libéraux, ils postulent un *demos* préconstitué dont on ne questionne pas les frontières et supposent que les solidarités qui fondent le « vouloir vivre ensemble » sont relativement fixées, ce qui prédétermine la question de la communauté apte à se projeter dans le temps pour agir en tant que sujet politique. La question demeure alors celle de la construction d'une identité civique globale, apte à soutenir la stabilité et la légitimité de l'État consolidé[83]. Pour leur part, les nationalistes libéraux postulent très clairement la nécessité d'une identité nationale commune pour fonder la confiance, la solidarité et le sens de la responsabilité qu'exige le fonctionnement de la démocratie libérale[84]. Or cette attitude, d'une part ferme les yeux sur les limites fondamentales du modèle de l'État-nation et, d'autre part, conduit à un véritable casse-tête politique ; si, en effet, cette thèse est valable normativement, elle ne peut l'être uniquement pour le nationalisme majoritaire, et par conséquent il faut soit accepter la fragmentation sur la base du principe des nationalités, soit imposer le nationalisme majoritaire (ce qui est problématique sur le plan empirique et normatif). Mais avant de m'attarder à ces débats, qui font l'objet des chapitres 3 et 4, il me faut d'abord rappeler les défis que pose la mondialisation au modèle de l'État national territorialement souverain.

---

83. James Tully propose plutôt de situer les questions de distribution et de reconnaissance comme les deux facettes des revendications pour plus de justice sociale, et de mettre l'accent sur la justice comme condition de stabilité. Voir James Tully, « Struggles over Recognition and Distribution », *Constellations*, 7, 2000, p. 469-482 ; et « Introduction », dans Alain-G. Gagnon et James Tully (dir.), *Multinational Democracies*, Cambridge University Press, 2001, p. 1-33.

84. Voir par exemple David Miller, *On Nationality*, Oxford, Clarendon Press, 1995.

Chapitre 2

État et mondialisation

Le chapitre précédent a insisté sur certaines difficultés intrinsèques au modèle même de l'État territorial souverain. Mais le contexte actuel conduit lui aussi à interroger ce modèle. La mondialisation pose en effet de manière aiguë la question de l'autonomie et de l'interdépendance, de la domination et des lieux de pouvoir. Elle se déploie dans une dynamique de déterritorialisation et de reterritorialisation qui modifie les espaces politiques. Le contexte actuel nous confronte en fait à la disjonction des éléments, traits et catégories normatives dont la conjonction dans l'État a constitué le contexte de la naissance de la démocratie libérale. Le modèle de l'État alignait dans un espace défini un certain nombre de systèmes fonctionnels (dont une économie dite nationale et l'État-providence), une identité et une culture «nationales», un *demos*, un ensemble d'institutions de gouvernement et une prétention à la souveraineté interne et externe[1]. Or ce modèle semble se disloquer, dans la mesure où ces éléments ne correspondent plus nécessairement dans un espace territorial précis, clairement délimité. Par exemple, la prise de décision et le pouvoir semblent aujourd'hui s'être dilués dans des lieux, des réseaux, qui échappent au contrôle démocratique[2]. Les mouvements de populations, d'idées, de capitaux, mais aussi les réseaux clandestins et la modification de la donne en matière de sécurité et de géopolitique heurtent de plein fouet le modèle de l'État territorial souverain. Les politologues, anthropologues, philosophes et sociologues utilisent

---

1.   M. Keating, *Plurinational Democracy, op. cit.*, p. 135.
2.   *Ibid.*

diverses expressions pour nommer cet état de choses. Par exemple, Michael Keating parle de la disparition du monopole de l'État sur la définition du territoire et sa signification ; Arjun Appadurai, de la destruction du sens d'un isomorphisme (c'est-à-dire d'une correspondance étroite dans une même structure) entre le territoire et l'identité nationale ; John Agnew, de la déstabilisation de l'équation entre territorialité étatique et identité politique stable ; Andrew Linklater, de la remise en cause de la combinaison particulière des pouvoirs monopolisés par l'État moderne ; et William Connolly, de l'asymétrie entre l'image de l'État (territorial, souverain, national, démocratique et sécuritaire) et l'expérience concrète du désalignement[3]. Ce dernier souligne la tendance de la théorie politique à attribuer cette asymétrie à des lacunes dans la réalisation des idéaux de l'État démocratique propres au modèle projeté[4].

Je vais dans ce chapitre évaluer la pertinence de la thèse de la fragmentation du modèle de l'État, fragmentation associée à la mondialisation. Préalablement cependant, il me faut proposer une définition de la mondialisation et rappeler brièvement quels sont les processus qui lui sont associés et qui contribuent à modifier le rôle de l'État. Les phénomènes de déterritorialisation et de reterritorialisation sont particulièrement importants étant donné le rôle central que joue la territorialisation elle-même dans le modèle de l'État ; j'ai insisté dans le chapitre premier sur l'importance de ce phénomène dans l'émergence et la consolidation de l'État moderne, sur le lien entre le territoire et les autres catégories consubstantielles au modèle, et sur le rôle de support fonctionnel que joue le territoire.

---

3. Respectivement, M. Keating, *Plurinational Democracy, op. cit.* ; Arjun Appadurai, « Sovereignty without Territoriality : Notes for a Postnational Geography », dans Patricia Yager (dir.), *The Geography of Identity*, Ann Harbor, University of Michigan Press, 1996, p. 40-58 ; A. Linklater, « Citizenship and Sovereignty », *op. cit.* ; J. Agnew, « Mapping Political Power », *op. cit.* ; et William Connolly, « Democracy and Territoriality », *Millenium. Journal of International Studies*, 20, 3, 1991, p. 464.

4. W. Connolly, « Democracy and Territoriality », *op. cit.*, p. 464. À mes yeux, la défense du modèle de l'État-nation chez les nationalistes libéraux procède, au moins en partie, de cette attitude.

Les phénomènes de déterritorialisation et de reterritorialisation contribuent de manière importante à ce désalignement qui a altéré notamment le contrôle démocratique sur les systèmes fonctionnels. Ces phénomènes constituent un défi fondamental pour la démocratie ; on ne peut plus en effet postuler l'adéquation du système territorial, du système de représentation, de l'autorité publique et de l'identité, adéquation qui caractérisait le modèle de l'État et qui, bien qu'elle n'ait jamais totalement représenté la réalité, jouait néanmoins le rôle d'idéal régulateur. Mais la démocratie demeure à l'heure actuelle confinée à l'échelle étatique. Il y a plusieurs manières de réagir, sur le plan théorique, à cette situation ; le débat qui sera examiné au chapitre 3 expose deux de ces positions possibles quant aux défis qui se posent à la démocratie libérale dans le contexte actuel. Si cependant, comme je le crois, non seulement la thèse de la fragmentation est exacte (ce qui ne signifie pas la disparition imminente de l'État), mais de plus le modèle même de l'État contribue à restreindre les espaces démocratiques, il y a lieu d'essayer de formuler ce que pourrait être une démocratie multiscalaire plutôt que d'insister surtout sur la défense de l'État(-nation).

La mondialisation

La mondialisation se présente comme un phénomène multidimensionnel, ainsi que le soulignent notamment David Held et Ryoa Chung, phénomène qui inclut les domaines économique, politique, technologique, militaire, juridique, culturel et environnemental, chacun véhiculant des modèles différents de relations et d'activités[5].

---

5. Held insiste sur l'importance de garder ces domaines distincts et d'évaluer l'impact de la mondialisation sur des communautés politiques particulières à partir d'une compréhension de ce qui se produit dans chacun de ces domaines. Cela exige notamment d'illustrer les changements politiques fondamentaux qui surviennent dans les modèles d'interaction entre communautés politiques et d'expliciter les conséquences politiques de ces modifications (David Held, « The Changing Contours of Political Community », dans Barry Holden (dir.), *Global Democracy. Key Debates*, Routledge, 2000, p. 20).

La mondialisation se présente aussi comme imaginaire social (composé de formes communes de modernité, d'une «phénoménologie du présent», de la sentimentalisation des sociétés et d'une production discursive lui donnant un caractère normatif) ainsi que, dans certains types de discours, comme théorie du changement social enserrant tous les faits sociaux dans une chaîne de causalité dont le départ serait le global[6].

L'imposante littérature sur la mondialisation présente une diversité de conceptions et de définitions de ce phénomène. J'adopterai ici la définition proposée par Held ainsi que par Held *et al.*[7], définition qui m'apparaît compter parmi les plus adéquates et les plus nuancées. Je n'ai pas l'intention d'élaborer longuement à propos de cette définition, ni de la défendre; elle vise simplement à indiquer dans quel cadre de compréhension du phénomène s'inscrivent mes propos relatifs à l'impact de ces processus sur l'État.

Held définit d'abord la mondialisation comme un phénomène qui influe sur l'organisation spatiale des rapports sociaux:

> Elle comporte une extension et une intensification des relations et institutions sociales dans l'espace et le temps, de telle sorte que, d'une part, les activités quotidiennes sont de plus en plus influencées par des évènements se produisant de l'autre côté du globe et, d'autre part, les pratiques et décisions des communautés ou groupes locaux peuvent avoir des répercussions mondiales importantes.

> La mondialisation comprend aujourd'hui au moins deux phénomènes distincts. Premièrement, elle évoque le fait que plusieurs catégories d'activités politiques, économiques et sociales acquièrent une étendue interrégionale ou intercontinentale, et, deuxièmement, elle renvoie à une intensification dans les niveaux d'interaction et d'interrelation dans, et entre, les États et les sociétés[8].

---

6. Zaki Laïdi, «Les imaginaires de la mondialisation», *Esprit*, 246, 1998, p. 13.
7. David Held, «Democracy and Globalization», dans D. Archibugi, D. Held et M. Köhler (dir.), *Re-imagining Political Community*, *op. cit.*, p. 11-27; David Held, Anthony McGrew, David Goldblatt et Jonathan Perraton, *Global Transformations. Politics, Economics and Culture*, Stanford, Stanford University Press, 1999.
8. D. Held, «Democracy and Globalization», *op. cit.*, p. 13 (traduction de l'auteure).

Held *et al.* (1999) suggèrent de conceptualiser la mondialisation comme

> *un processus (ou un ensemble de processus) qui incarne une transformation de l'organisation spatiale des relations et échanges sociaux – en termes d'extension, d'intensité, de rapidité et d'impact – engendrant des flux et réseaux transcontinentaux ou interrégionaux d'activité, d'interaction et d'exercice du pouvoir.*

Dans ce contexte, les flux font référence aux mouvements des objets matériels, des individus, des symboles et de l'information à travers l'espace et le temps, alors que les réseaux renvoient à des interactions régularisées, ou qui suivent des modèles, entre des agents, des points nodaux d'activité ou des sites de pouvoir indépendants[9].

Il apparaît utile et approprié de distinguer la mondialisation de processus spatialement délimités (localisation, nationalisation, régionalisation et internationalisation), comme le fait cette définition. Ces auteurs la situent en effet sur un continuum avec le local, le national (au sens d'étatique) et le régional. Held *et al.* soutiennent qu'il y a différentes formes historiques de la mondialisation, qui varient selon quatre dimensions spatiotemporelles (extension, intensité, vélocité, impact)[10]. Outre ces quatre dimensions spatiotemporelles, Held *et al.* proposent aussi de distinguer quatre aspects qui sous-tendent le profil organisationnel des formes de mondialisation : les infrastructures (physiques, régulatrices ou symboliques), l'institutionnalisation (la régularisation de modèles d'interaction), la stratification (dont les dimensions sont sociales et spatiales) et les modes d'interaction (impériale, coercitive, coopérative, compétitive,

---

9. D. Held *et al.*, *Global Transformations*, *op. cit.*, p. 16 (traduction de l'auteure ; les italiques sont dans l'original).

10. « La mondialisation peut être saisie comme renvoyant à ces processus de changement spatiotemporels qui sous-tendent une transformation dans l'organisation des affaires humaines en liant et en étendant l'activité humaine à travers les régions et les continents » ; cela comporte une extension accrue, une intensification et une rapidité des interactions associées également à la croissance de l'impact de certains évènements très locaux à une échelle globale (*Ibid.*, p. 15) (traduction de l'auteure).

conflictuelle). Ils soulignent enfin l'importance d'évaluer quatre types d'impact, soit l'impact décisionnel (relatif à l'influence des forces globales sur les coûts et bénéfices des choix de politiques), l'impact structurel (la mesure dans laquelle la mondialisation conditionne les modèles d'organisation sociale, économique et politique au niveau des pays), l'impact distributif (la manière dont la mondialisation influence la configuration des forces sociales) et l'impact institutionnel (le degré auquel les conditions de mondialisation déterminent l'éventail de choix disponibles)[11].

Un certain nombre de forces et de processus associés à la mondialisation contribuent à modifier le rôle de l'État. J'ai exposé ces facteurs ailleurs, en tablant essentiellement sur les travaux de Bertrand Badie[12]; je ne vais donc que les rappeler brièvement ici. Les plus importants sont probablement la prolifération d'acteurs transnationaux (prolifération qui intensifie les flux transnationaux), les logiques infra-étatiques de divers types (la décentralisation et la régionalisation, principalement), la logique de l'État segmentaire dans certaines régions du globe, la mobilité croissante des individus au sein du système international, la perte de crédibilité économique subie par l'État et la dissémination de la violence. Rappelons que les flux transnationaux peuvent être de nature variée (économique, sociale, politique, culturelle, démographique, clandestine)[13] et qu'ils ne sont pas nouveaux en eux-mêmes. L'originalité de la situation actuelle repose plutôt dans l'extension et l'intensification de ces flux[14]. Quant

---

11. *Ibid.*, p. 18.
12. Voir G. Nootens, « L'identité postnationale », *op. cit.*
13. Badie définit les flux transnationaux comme « toute relation qui se déploie sur la scène mondiale en contournant, de façon délibérée ou par destination, le contrôle des États-nations, transgressant notamment leur souveraineté et leur compétence étatique » (Bertrand Badie, « De la souveraineté à la capacité de l'État », dans Marie-Claude Smouts (dir.), *Les nouvelles relations internationales. Pratiques et théories*, Presses de Sciences Po, 1998, p. 50).
14. Cette intensification résulterait plus particulièrement de quatre processus principaux, soit la mondialisation du modèle de l'État national, la

à la régionalisation, il faut préciser qu'elle peut être supra-étatique (le regroupement de plusieurs États d'une même région géographique dans un bloc économique, comme l'Accord de libre-échange nord-américain, ou politique, comme l'Europe de Maastricht), transétatique (lorsqu'elle regroupe des régions de différents États), ou infra-étatique (lorsqu'elle opère à l'intérieur d'un État).

Dans ce cadre, si l'État conserve un rôle important, sa capacité d'agir doit être considérée dans la perspective de l'interaction entre acteurs publics et privés[15]. Ainsi, la mondialisation contribue notamment à ce que certains désignent comme la « dislocation » de la relation entre l'État et l'économie, puisqu'une part de plus en plus importante de l'activité économique s'organise directement sur des bases mondiales, avec pour résultat une désétatisation de l'espace économique et l'érosion des capacités de régulation économique associées à l'État[16]. Ce genre de phénomène a été décrit par toute une littérature s'intéressant à l'avenir de l'État-providence, notamment sous l'angle des rapports postfordistes de régulation ; je ne m'y attarderai donc pas ici. Tous ces facteurs exercent des pressions considérables sur l'État, dont le rôle est remis en cause au niveau

---

mondialisation de l'activité économique, l'innovation technologique et sa diffusion massive, et le dynamisme même de la modernité, qui « rend possible la compression du temps et de l'espace », compression accélérée et accentuée par la mondialisation (Gilles Breton, « Mondialisation et science politique : la fin d'un imaginaire théorique ? », *Études internationales*, XXIX, 3, 1993, p. 536 ; voir aussi Anthony Giddens, *The Consequences of Modernity*, Stanford, Stanford University Press, 1990, p. 64).

15. C'est dans cette perspective qu'il faut situer et comprendre l'importance accordée depuis quelques années à la notion de gouvernance. Celle-ci fait généralement référence à « l'émergence de systèmes autorégulateurs qui dépassent le gouvernement au sens traditionnel » (Michael Keating, « Territorial Politics in Europe. A Zero-Sum Game ? », EUI Working Paper RSC n° 98/39, 1998, p. 3) (traduction de l'auteure), qui ne passent pas par les canaux gouvernementaux conventionnels.

16. G. Breton, « Mondialisation et science politique », *op. cit.*, p. 539-542. Il faudrait spécifier que la nature et l'impact de ce type de phénomènes varient selon les secteurs d'activité et les États. Par exemple, l'érosion des capacités de régulation économique semble être davantage le fait d'États plus « fragiles ».

économique (par l'internationalisation de l'économie et la mobilité du capital, par l'importance accrue des perspectives locale et régionale dans la restructuration économique, et par la recrudescence de la « croyance » dans les marchés et la privatisation), au niveau infra-étatique (notamment par les identités territoriales nouvelles ou réémergentes et l'affirmation de l'identité plurielle) et au niveau culturel (par la mondialisation de la culture et la réaffirmation des langues et cultures locales, régionales et minoritaires, qui remettent en cause le rôle de l'État dans l'identité culturelle)[17].

Ces pressions s'accompagnent de changements institutionnels, principalement au niveau de la croissance des régimes interna-tionaux et de la décentralisation, changements dont les effets sur l'État ne sont pas clairs : « À court terme, la dévolution vers le haut et vers le bas peut accroître l'autonomie et l'autorité des élites étatiques […] À long terme, elles ne pourront peut-être pas contrôler les pro-cessus qu'elles ont mis en marche. De nouveaux acteurs et réseaux pourraient émerger et créer un nouveau jeu politique. Il est aussi important de garder à l'esprit le retrait fonctionnel simultané de l'État face au marché et la forme précise que prend l'intégration continentale[18] ». Mais si les effets ne sont pas clairs, on constate néan-moins une désarticulation des sphères d'action sociale, économique et politique, et la croissance de l'écart entre le système de représentation (qui s'incarne dans les institutions étatiques) et la prise de décision dans les réseaux territoriaux et sociaux[19]. Ce divorce entre le système politique et le mode de définition des orientations de la société donne lieu à des problèmes d'imputabilité ; il pose aussi la question des formes d'identité collective, de l'affaiblissement de la capacité fonctionnelle de l'État et de la finalité même de la politique « comme moyen de réconcilier les impératifs sociaux et culturels[20] ».

---

17. Michael Keating, « Regional Autonomy in the Changing State Order : A Framework of Analysis », *Regional Politics and Policy*, 2, 3, 1992, p. 47-49. Voir aussi M. Keating, *The New Regionalism*, *op. cit.*, p. 72 et 75.

18. M. Keating, « Regional Autonomy », *op. cit.*, p. 50 (traduction de l'auteure).

19. M. Keating, *The New Regionalism*, *op. cit.*, p. 75.

20. M. Keating, *Les défis du nationalisme moderne*, *op. cit.*, p. 57.

L'État national se trouve remis en cause à la fois comme idéal-type et construction historique. Cet état de fait est doublement important, car il exerce une influence à la fois sur les formes sociales et politiques et sur la manière de construire le discours sur ces formes (et par conséquent, des disciplines telles que la science politique). La mondialisation modifie la nature et le rôle de l'État, mais elle peut aussi exiger de développer une tout autre façon de penser l'espace public. Je ne crois pas qu'il faille percevoir les changements qui modifient le politique comme une perte ou une aliénation, ni qu'il faille déplorer la fragmentation, s'il en est une, du modèle de l'État-nation. Je suggère de voir plutôt le contexte actuel comme une occasion d'éclairer le caractère contingent de l'ancrage d'une forme particulière du politique (et de la démocratie) et de repenser nos paramètres, nos manières de voir et de faire.

La fragmentation du modèle de l'État[21]

Dans le contexte actuel, on ne peut que constater le caractère très relatif de l'autonomie des États. En fait, il serait plus exact de préciser d'abord que cette autonomie a toujours été relative, d'une part parce que la signification réelle de la souveraineté varie suivant la position qu'un État occupe dans le système international (de manière rapide et superficielle, comparons par exemple l'autonomie et l'influence des États-Unis avec celles du Sierra Leone ou du Bangladesh) et, d'autre part, parce qu'il y a très peu d'exemples, dans l'histoire des États modernes, de « société nationale » entendue comme système clos, fermé sur lui-même et pouvant orienter son avenir collectif tout à fait indépendamment du contexte international et de ses relations avec les autres entités de ce système. Les États n'ont évidemment jamais désigné des sociétés complètement autonomes, closes sur elles-mêmes[22]. Il est clair par exemple, comme l'ont montré les

---

21. J'utilise ici le terme de fragmentation dans une optique descriptive et relative à la remise en cause du modèle conventionnel, pas dans une optique postmoderne ni dans celle d'un discours qui déplorerait la disparition d'un ordre antérieur de valeurs.

22. G. Breton, « Mondialisation et science politique », *op. cit.*, p. 535.

travaux de Theda Skocpol sur les révolutions sociales, que celles-ci se sont produites à des moments où la conjonction d'un contexte international précis avec la difficulté de mobiliser les ressources «internes» pour faire face aux pressions provoque l'effondrement des Anciens régimes (pensons par exemple au rôle de la Première Guerre mondiale dans la chute du régime tsariste). L'inscription et la position d'un État dans le système mondial, ses relations avec les États les plus puissants et les plus développés, ont une influence fondamentale sur son développement et son autonomie. Cette relativité de l'autonomie de l'État est particulièrement manifeste à l'ère contemporaine, surtout sur le plan économique. Pensons par exemple au rôle des capitaux spéculatifs dans la crise qu'a connue le Sud-Est asiatique en 1997.

Il peut cependant paraître abusif de parler de fragmentation du modèle de l'État moderne. Les États ne continuent-ils pas à jouer un rôle prédominant sur la scène des relations internationales (entendre : interétatiques), par exemple du fait que ce sont eux qui concluent les ententes et traités de nature économique, politique ou culturelle ? Ne jouent-ils pas toujours, du moins en Occident, un rôle fondamental dans la vie quotidienne de leurs ressortissants, étant le lieu privilégié d'articulation des intérêts collectifs, l'enjeu des luttes de pouvoir, l'instance de garantie des droits individuels et sociaux ? N'est-il pas par conséquent prématuré, ou même tout à fait erroné, de parler de fragmentation du modèle de l'État et de la modification de sa nature et de ses fonctions ? Michael Mann par exemple croit que l'on a tendance à exagérer l'importance du déclin de l'État-nation, puisque si certains processus contribuent à l'affaiblir, d'autres au contraire contribuent à le renforcer (par exemple, les mouvements identitaires basés sur le genre ou la sexualité, de nombreux acteurs de ces mouvements demandant généralement plus que moins de régulation étatique). Il suggère que bien que les réseaux globaux d'interaction se renforcent, ce phénomène relève en fait de trois éléments principaux :

> Premièrement, une partie de leur force provient de l'échelle plus globale des relations transnationales qui s'ancrent surtout dans

la technologie et les relations sociales du capitalisme. Mais celles-ci n'ont pas le pouvoir d'imposer un universalisme unique aux réseaux globaux. Par conséquent, deuxièmement, les réseaux globaux sont aussi modérément segmentés par les particularités des États-nations, surtout ceux du Nord, plus puissants. Troisièmement, les relations internationales y jouent un rôle de médiation. Elles incluent de la politique « dure » [...] Mais actuellement l'expansion de la géopolitique discrète (*soft*) est plus frappante, et cela relève davantage du transnationalisme[23].

Il y a cependant des indices laissant croire que le modèle se fragmente au-delà du simple constat que l'autonomie de l'État est somme toute relative, comme elle l'a toujours été. Cela m'apparaît particulièrement clair lorsqu'on considère le monopole que prétend toujours exercer l'État comme lieu privilégié de représentation du politique et d'articulation des intérêts publics et privés. Cette prétention se heurte à une double difficulté. D'une part, l'État n'apparaît plus, aux yeux de beaucoup de citoyens, comme étant capable de les représenter et de leur donner une voix dans les processus supra-étatiques (perte de légitimité, problèmes d'imputabilité, cynisme politique). Si le modèle de l'État n'a jamais totalement correspondu à la réalité sociale, il lui correspond en réalité de moins en moins, car le contexte actuel est propice à la contestation de ce monopole. Par exemple, si on ne peut pas parler d'une société civile globale, les associations issues des sociétés civiles ont à l'heure actuelle des moyens de mobilisation (Internet, notamment) qui facilitent cette tâche ; et la conscience du caractère global de certains enjeux gagne du terrain. D'autre part, le monopole étatique s'effrite en partie à cause de pressions venant à la fois de l'embryon de société civile transétatique et des pouvoirs transétatiques avec lesquels il interagit et qui modulent ses capacités de régulation.

Il y a deux autres éléments que je considérerai brièvement. Le premier est relatif à l'influence mutuelle des espaces d'interaction sociale et des identités individuelles. Le portrait de l'identité politique

---

23. Michael Mann, « Has Globalization Ended the Rise and Rise of the Nation-State? », *Review of International Political Economy*, 4, 3, 1997, p. 495 (traduction de l'auteure).

monolithique et exclusive qui accompagnait le modèle de l'État
(-nation) n'a jamais représenté exactement la réalité multiforme des
allégeances et des loyautés des individus. Ce portrait jouait néanmoins une fonction critique et mobilisatrice fondamentale, que le
contexte actuel permet de lui contester. On peut en effet présumer
que la complexification des espaces sociopolitiques interagit avec
l'identité des individus, et que tant celle-ci que les conceptions que
nous en avons varient sous l'impact de la pluralisation sociale et culturelle et de la mondialisation. Si c'est le cas, la question des identités
politiques (comme celles de déterminer la communauté politique
appropriée et de la manière dont se définissent et se redéfinissent
les frontières entre les communautés) se pose de manière aiguë et
accompagne la fragmentation du modèle (ou en tout cas, lui
correspond). En contexte de pluralisation des identités, on peut par
exemple penser à une relativisation de l'importance de l'identité
nationale dans certaines situations. Keating par exemple, s'appuyant
sur de vastes enquêtes empiriques menées dans ce qu'il désigne
comme des nations sans État[24] comme le Québec, la Catalogne et
l'Écosse, en conclut que les identités nationales ne sont ni monoli-
thiques, ni exclusives ou fixes, mais plutôt flexibles, et que les identités
exclusives « sont mobilisées uniquement en période de menace, de
crise ou de polarisation politique[25] ». Cela est d'autant plus significatif
que, comme je l'expliquerai au chapitre 3, l'institutionnalisation de
l'appartenance à des espaces politiques supra-étatiques (telle l'Union
européenne) peut ouvrir d'autres rôles sociaux, susciter d'autres
loyautés et diminuer l'importance de la loyauté nationale. Si l'organisation spatiale des relations sociales se transforme (par exemple,
du fait de l'importance grandissante des institutions supra-étatiques
ou du fait que les activités sociales des individus débordent un seul
espace politique) et si notre compréhension de l'identité politique
se complexifie, alors il semble légitime de conclure à l'existence de
nouveaux lieux de construction des identités politiques, à de

---

24. Il entend par là, bien entendu, sans État *souverain*.
25. M. Keating, *Plurinational Democracy, op. cit.*, p. 164-165 (traduction de
l'auteure).

nouveaux espaces de discours politique[26]. Selon Peter G. Mandaville, les nouvelles formes d'identité politique sont toujours géographiquement situées, mais ne font pas nécessairement coïncider les limites de leur action politique avec les limites du territoire étatique[27].

Le second élément concerne l'argument voulant que nous soyons déjà passés d'un régime classique de souveraineté à un régime international libéral de souveraineté qui insiste sur les principes d'auto-détermination, de démocratie et de droits humains[28]. Cela soutient la thèse de la fragmentation dans la mesure où, bien que subsistent des aspects importants (même fondamentaux) de la souveraineté étatique, l'État s'inscrit d'ores et déjà dans un cadre de gouvernance plus large. Le cas de l'Union européenne, bien que très particulier, nous entraîne même plus loin, puisqu'ici le droit communautaire peut prétendre à une légitimité propre et s'inscrit, du point de vue normatif, dans un ensemble juridique pluraliste, dans lequel les ordres non étatiques ne sont pas nécessairement subordonnés à l'ordre étatique.

Déterritorialisation, reterritorialisation : la redéfinition des espaces fonctionnels

La territorialité étatique comme support fonctionnel des principales notions consubstantielles au modèle se trouve donc remise en cause. Le terme « déterritorialisation » fait référence dans le cadre actuel à une reconfiguration géographique qui a comme conséquence que

---

26. Peter G. Mandaville, « Territory and Translocality : Discrepant Idioms of Political Identity », *Millenium. Journal of International Studies*, 28, 3, 1999, p. 663.
27. Il suggère d'utiliser la notion de translocalité pour désigner la manière dont les individus se déplacent entre des lieux. La translocalité est un espace abstrait occupé par « la somme des liens et des jonctions entre les endroits » (*Ibid.*, p. 672) (traduction de l'auteure). Voir aussi, sur cette notion, A. Appadurai, « Sovereignty without Territoriality », *op. cit.*
28. D. Held, « Law of States », *op. cit.* Held soutient cet argument en utilisant entre autres, à titre d'exemples, les modifications juridiques intervenues dans le domaine de la guerre, des crimes de guerre, des droits humains et de l'environnement. Dans ces domaines, le droit international s'oppose, à certains égards, à la souveraineté au sens classique.

«l'espace social n'est plus totalement cartographié en termes de lieux territoriaux, de distances territoriales et de frontières territoriales[29]». Les espaces déterritorialisés se défont et se réarticulent autour de la compression espace-temps qui caractérise la mondialisation.

Mais cela ne signifie pas que les territoires ne sont plus importants ou significatifs socialement, pas plus que cela n'annonce la fin de la géographie territoriale. En fait, c'est bien à une *réarticulation* des lieux et des espaces sociaux qu'est plutôt associée la mondialisation. Ce sont ces réarticulations, ces reconfigurations, qu'on peut désigner par le terme de «reterritorialisation». Ainsi, Brenner définit la reterritorialisation comme «la production continuelle de configurations, relativement fixes et provisoirement stabilisées, d'organisation territoriale à des échelles multiples[30]». Jan Aart Scholte désigne par ce terme les reconfigurations territoriales qui accompagnent le déclin de certaines entités territoriales au profit d'autres entités du même type[31]. Il situe d'ailleurs au cœur de la mondialisation le processus de supraterritorialisation, étant donné l'importance de l'espace en tant que dimension des relations sociales. Un certain nombre de liens et d'échanges globaux échappent à la conception de l'espace social en termes d'entités territoriales mutuellement exclusives (ce qu'il appelle le «territorialisme») et opèrent indépendamment des distances territoriales ; certaines de ces transactions globales peuvent s'étendre n'importe où sur la planète presque instantanément[32]. Quand j'utilise le terme «reterritorialisation», je pense donc à de nouvelles formes, multiscalaires (à plusieurs échelles ou niveaux), d'organisation territoriale du pouvoir, dont certaines échappent à l'État national.

Les phénomènes de déterritorialisation et de reterritorialisation contribuent à dénouer la conjonction d'un certain nombre d'espaces (notamment des systèmes fonctionnels) et de pratiques dans l'État

---

29. J.A. Scholte, *Globalization, op. cit.*, p. 16. Voir aussi D. Held *et al.*, *Global Transformations, op. cit.*, p. 16.
30. N. Brenner, «Beyond State-Centrism?», *op. cit.*, p. 43 (traduction de l'auteure).
31. J.A. Scholte, *Globalization, op. cit.*, p. 60.
32. *Ibid.*, p. 46 et 48.

national, dans un contexte où l'État perd aussi son monopole de médiation entre les niveaux local et régional, d'une part, et les niveaux supra-étatique et global, d'autre part. Il importe de bien reconnaître ces processus pour trois raisons : premièrement, il faut se débarrasser de la tendance à naturaliser la territorialité étatique et le modèle organisationnel de l'État unifié qu'elle sous-tend ; deuxièmement, il est clair que cela ne signifie pas tant la « fin des territoires » que la nécessité de relativiser, de mettre en perspective, une forme particulière de territorialité comme mode de contrôle sur les personnes et les ressources ; enfin, il importe de pouvoir analyser les nouvelles formes territorialisées de pouvoir. Si l'on tente de transcender l'épistémologie territorialiste en postulant soit que la mondialisation est essentiellement non territoriale, déracinée, soit qu'elle marque la fin de l'État, alors on demeure aveugle aux nouvelles formes territorialisées de pouvoir ; or la période actuelle est précisément caractérisée par un processus multiscalaire de reterritorialisation, processus dans lequel les États jouent un rôle important[33]. Brenner a donc raison de souligner que l'historicité de la territorialité ne se limite pas à sa présence ou à son absence (elle peut être reconfigurée et redéfinie à des niveaux différents), que les échelles géographiques ne sont pas mutuellement exclusives (ce sont des niveaux d'interaction mutuellement constitutifs et les transformations subglobales jouent un rôle essentiel dans le processus de mondialisation) et que les flux globaux dépendent pour circuler de formes (diverses) de localisation et de reterritorialisation, de sorte que « la déterritorialisation des pratiques sociales à une échelle globale dépend intrinsèquement de leur reterritorialisation simultanée à des échelles subglobales, à l'intérieur de configurations organisationnelles territoriales relativement fixes et immobiles[34] ».

Les travaux de Keating démontrent l'importance actuelle des processus de reterritorialisation du politique, notamment au niveau des espaces de mobilisation dans l'Union européenne. Keating souligne la présence, en Europe occidentale, de nouveaux mouvements politiques territoriaux ayant en commun le fait que la

---

33. N. Brenner, « Beyond State-Centrism ? », p. 41-42.
34. *Ibid.*, p. 62 (traduction de l'auteure).

portée de leur action ne se confine plus à l'État. Leur relation à celui-ci est remplacée par une triple dépendance : envers l'État, envers les marchés internationaux et envers l'ordre européen[35]. Certains de ces mouvements résulteraient directement de la crise de l'État-nation (par exemple, en Italie du Nord). D'autres représenteraient la cristallisation de fractures culturelles existantes et l'échec de pratiques consociationnelles dans un contexte d'affaiblissement de l'État (par exemple, la Belgique). Certains se fondent plutôt sur la revalorisation d'une identité historique existante (par exemple, en Écosse et en Catalogne). Finalement, dans certains cas les frontières de territoires émergents ou réémergents, ainsi que leur signification politique et fonctionnelle, sont toujours sujettes à litige (par exemple, dans les cas de l'Irlande du Nord et du pays Basque)[36].

Les processus de déterritorialisation et de reterritorialisation jouent un rôle fondamental dans la fragmentation de l'État précisément parce que le territoire constitue ce qu'on pourrait appeler le « support fonctionnel » des pratiques et des catégories normatives

---

35. Michael Keating, « Asymmetrical Government : Multinational States in an Integrating Europe », *Publius,* 29, 1, 1999, p. 75 ; M. Keating, *The New Regionalism, op. cit.,* p. ix.

36. M. Keating, « Asymmetrical Government », *op. cit.,* p. 75. Keating évoque la possibilité que cette résurgence des territoires puisse avoir comme conséquence, en Europe, « plutôt qu'une hiérarchie territoriale aux paliers clairement définis, une mosaïque composée de champs d'autorité se chevauchant les uns les autres et qui évoquerait moins l'État-nation du XIXe siècle que l'Europe d'avant la modernité » (M. Keating, *Les défis du nationalisme moderne, op. cit.,* p. 68). Les nouveaux régionalismes, par exemple, « visent moins à retourner à des formes d'appartenance prémodernes qu'à réinventer le territoire en fonction de paramètres contemporains. Le lieu d'appartenance devient ainsi un lien essentiel entre, d'une part, l'évolution globale et l'expérience personnelle, et, d'autre part, l'espace où se pratique une forme nouvelle du politique » (*Ibid.,* p. 64). Sur les régions dans l'Union européenne, voir M. Keating, *The New Regionalism, op. cit.* ; « Territorial Politics », *op. cit.* ; *Plurinational Democracy, op. cit.* ; et *Les défis du nationalisme moderne, op. cit.,* ainsi que Michael Keating et Liesbet Hooghe, « By-passing the Nation State ? Regions and the EU Policy Process », dans J.J. Richardson (dir.), *European Union. Power and Policy-Making,* Londres, Routledge, 1996, p. 216-229.

liées à l'État. Comme l'explique le chapitre premier, c'est le territoire qui soutient l'idéal de la souveraineté. C'est aussi lui qui permet de définir un espace « horizontal », unifié, qui détermine le cadre de la citoyenneté. Cependant, la présence de processus de reterritorialisation n'autorise pas, comme je l'ai expliqué, à annoncer la fin du ou des territoires, ni celle de l'État. S'il est exact que les systèmes fonctionnels et l'ordre politique se reterritorialisent, et que dans ce cadre le modèle de l'État se fragmente, c'est plutôt pour l'instant à une redéfinition de son rôle et de ses fonctions que nous assistons, sur le plan empirique. Il serait par conséquent illusoire d'annoncer la mort imminente de l'État, et ce, même si on peut en faire une critique sévère du point de vue de la philosophie morale et politique. L'importance de l'État dans la vie des individus, tout comme le rôle significatif qu'il continue à jouer dans la vie internationale (encore très largement interétatique), n'autorisent pas une telle conclusion.

Mais Keating me semble avoir raison d'affirmer que les élites étatiques ont probablement mis en œuvre des processus qu'à moyen terme elles ne contrôleront pas nécessairement. La restructuration économique, la redéfinition du rôle de l'État-providence, les mouvements migratoires, les changements institutionnels (par exemple, l'intégration européenne), la capacité pour les citoyens de déployer des identités multiples, tout cela aura un impact indiscutable sur la relation entre la fonction et le territoire[37]. Les processus de reterritorialisation et de redéfinition des espaces fonctionnels posent également la question de la représentation complexe. Ces processus annoncent aussi l'émergence de nouveaux ordres normatifs qui, de pair avec l'érosion de l'autonomie de l'État et avec le pluralisme culturel, remettent en cause la doctrine classique de la souveraineté de l'État[38]. Les arguments du cosmopolitisme institutionnel, sur lesquels je me pencherai au chapitre suivant, relèvent d'ailleurs d'un argument à la fois normatif et empirique voulant que l'État ne doive constituer qu'un niveau parmi d'autres dans un système de gouvernance globale.

---

37. Voir notamment Keating, *Plurinational Democracy, op. cit.*, p. 134-135.
38. *Ibid.*, p. 27.

La démocratie multiscalaire

La dynamique actuelle de déterritorialisation et de reterritorialisation pose un défi fondamental pour la démocratie libérale. La forme démocratique reste en effet confinée à l'échelle étatique (c'est en général strictement à ce niveau que les individus comme citoyens sont susceptibles d'exercer des droits démocratiques et de participer à certains processus décisionnels) alors même que les rapports et lieux de pouvoir se reterritorialisent, produisant une disjonction entre espaces fonctionnels, espaces délibératifs et imputabilité. D'une part, se pose la question de la légitimité des ententes supra-étatiques et internationales. L'influence des citoyens sur la décision d'un État d'y être partie ou non est souvent fort limitée, d'autant plus que dans nombre de régimes politiques démocratiques, l'exécutif dispose d'un poids disproportionné par rapport au législatif et que les accords de nouvelle génération pourraient remettre en cause la possibilité même pour ce dernier de débattre de certains enjeux touchant l'intérêt public (voir la remarque sur l'affaire Ethyl Corporation dans l'introduction). D'autre part, on voit apparaître de nouveaux espaces de mobilisation de la société civile, comme en fait foi par exemple la mobilisation altermondialiste qui a entouré les sommets de Prague, Seattle et Québec, ou encore le Forum social mondial[39]. Ces nouveaux espaces de mobilisation, ces nouvelles solidarités qui tendent à s'institutionnaliser au moyen de réseaux (par exemple, relativement aux négociations sur la Zone de libre-échange des Amériques), ouvrent la possibilité d'une citoyenneté qui ne soit pas exclusivement liée à la conception territoriale; ils ouvrent la possibilité d'un politique situé en dehors des frontières normatives de l'État, de zones significatives de contestation des termes d'inclusion à la citoyenneté sous sa forme actuelle (liée à l'État territorial souverain). Et ils démontrent avec acuité le confinement actuel de la démocratie à l'intérieur de l'État, alors même que les enjeux débordent largement ses frontières (et la volonté ou la

---

39. Voir aussi Dorval Brunelle, *Dérive globale*, Montréal, Boréal, 2003.

capacité des élites d'y faire face) et que certains d'entre eux suscitent des solidarités plus larges.

La démocratie (là où elle existe) ne prend donc forme, comme je l'ai dit, qu'à l'échelle étatique (sauf de très rares exceptions, au nombre desquelles il faut compter le droit de vote aux élections municipales dans les États membres de l'Union européenne, ainsi qu'au Parlement européen). Cette difficulté est d'autant plus importante que sur le plan théorique, il semble difficile de penser la démocratie autrement que dans ses catégories conventionnelles, étroitement liées au cadre de l'État moderne. Or, si les tendances dont j'ai parlé plus haut et qui sont liées aux processus de la mondialisation se confirment, la démocratie est menacée. Elle est menacée non seulement parce que ces processus semblent s'accompagner d'une crise de légitimité des institutions démocratiques et de l'émergence d'un sentiment d'aliénation plus ou moins important selon les couches sociales; mais aussi parce qu'il y a des décisions fondamentales sur lesquelles les citoyens n'ont pas leur mot à dire, pour lesquelles n'existe aucun véritable mécanisme d'imputabilité et qui échappent en partie à certaines des conditions fondamentales d'établissement d'un espace public, dont notamment la condition de publicité.

Le cadre étatique actuel limite la légitimité des revendications sociales et politiques à celles qui se conforment à ce cadre. Autrement dit, le politique formalisé et institutionnalisé[40] n'est ici possible que sur la base de l'affiliation étatique. Un individu apatride n'a aucune influence sur la prise de décision; les citoyens canadiens n'ont aucune prise sur ce qui se décide à l'Organisation mondiale du commerce ou sur l'implantation et les modalités de la future Zone de libre-échange des Amériques. Dans ce contexte, l'urgence est double. D'une part, elle en appelle à la revitalisation de la participation citoyenne,

---

40. Je précise « formalisé et institutionnalisé », car la contestation des frontières du politique et de son champ d'ouverture fait aussi partie du politique. Cependant, cette activité se situe dans un certain sens en marge tant et aussi longtemps qu'elle ne donne pas lieu à de nouvelles configurations institutionnelles, puisqu'on ne lui reconnaît pas de légitimité formelle.

notamment par une redéfinition des modes de scrutin, du rôle des assemblées législatives, de l'équilibre des pouvoirs, des formes de la démocratie représentative. En ce qui concerne par exemple l'équilibre des pouvoirs, si on considère que ce principe doit demeurer l'un des piliers importants d'un régime démocratique libéral, il faut certainement en repenser les modalités devant la mobilité accrue des capitaux, la perte d'influence du législatif et certains types de clauses incluses dans les accords commerciaux de seconde génération (qui donnent aux entités corporatives un poids disproportionné par rapport à l'intérêt public). D'une manière ou d'une autre (qu'on le voie comme étape transitoire vers un autre type de système ou comme une sorte de finalité pour la démocratie libérale), il faut œuvrer à un renforcement de la démocratie à l'échelle étatique. On pourrait par exemple reprendre les termes de Habermas, pour qui ce n'est qu'à la condition de renforcer la démocratie que les États pourront participer «à une politique intérieure à l'échelle de la planète», c'est-à-dire à un processus où «les États et les régimes supranationaux se comprennent [...] comme les membres d'une communauté qui [...] sont obligés de tenir compte *réciproquement* de leurs intérêts et de *défendre des intérêts universels*[41] ».

Cela n'est cependant pas suffisant. Il faut aussi (c'est la seconde grande exigence) formaliser certaines pratiques qui se développent à l'échelle infra-étatique ou transétatique, et qui se superposent aux processus de participation et de décision qui relèvent des États. On ne peut pas se limiter à penser les nouveaux espaces comme des espaces strictement fonctionnels, et ce, même si, d'une part, on ne doit pas rechercher une coïncidence stricte telle que celle qui caractérisait le modèle de l'État national et que, d'autre part, il ne faut pas confondre espaces fonctionnels et espaces démocratiques. Dans le contexte actuel, se limiter à penser les nouveaux espaces strictement comme des espaces fonctionnels ne ferait que rendre plus aigu le problème de la représentation, la crise de légitimité des institutions

---

41. Jürgen Habermas, *Après l'État-nation. Une nouvelle constellation politique*, Paris, Fayard, 2000, p. 121.

et le questionnement concernant l'imputabilité des institutions et régimes supranationaux[42].

Il faut également réfléchir sur la complexification de la représentation et des mécanismes de participation, plutôt que sur une simple supranationalité : une citoyenneté de second niveau, dérivée de l'appartenance à l'État, non seulement correspondrait mal aux processus de reconfiguration territoriale, mais risquerait aussi de ne définir qu'une citoyenneté formelle, alliant une faible participation et une faible inclusion, ce qui ne ferait que renforcer le sentiment d'aliénation des citoyens. Bien qu'une faible participation puisse sembler à certains plus facile à gérer et moins menaçante pour la stabilité du système, ceux qui se préoccupent véritablement du renforcement de la démocratie ne peuvent évidemment pas s'en satisfaire. Je répète cependant que même si l'on partage ce point de vue sur la nécessité du renforcement de la démocratie, il n'y a pas de voie obligée, aucune ne faisant l'unanimité : certains insisteront sur la nécessité de travailler à l'« interne » ; d'autres miseront sur le développement de niveaux supra-étatiques ; d'autres encore préféreront réfléchir à l'élaboration d'une citoyenneté à niveaux multiples et d'une démocratie multiscalaire.

De mon point de vue, les arguments invoqués ici plaident pour l'élaboration d'une démocratie multiscalaire, qui doit accompagner une revitalisation des pratiques démocratiques à l'échelle étatique et infra-étatique. J'insiste ici sur la démocratie plutôt que sur la citoyenneté, puisqu'il y aurait tout un autre travail de réflexion à mener sur cette dernière notion afin d'évaluer si elle peut véritablement être dissociée de la conception moderne du sujet et du

---

42. Par exemple, Delanty suggère que les limites des modèles conventionnels de citoyenneté européenne sont attribuables au fait que l'espace européen, comme ordre de régulation, a une relation fonctionnelle avec d'autres niveaux de gouvernance (régional, étatique) et que sa légitimité découle non pas de la citoyenneté et de la culture politique démocratique, « mais de sa capacité à accroître la logique fonctionnelle des flux de régulation (travail, communications, finance, marchés) » (Gerard Delanty, « Review Essay. Dilemmas of Citizenship : Recent Literature on Citizenship and Europe », *Citizenship Studies*, 2, 2, 1998, p. 358) (traduction de l'auteure).

politique, travail que je ne peux entreprendre ici[43]. Mentionnons simplement à cet égard qu'il y a du côté de l'Europe occidentale des travaux sur la possibilité d'une citoyenneté à niveaux multiples, notion développée notamment par Gerard Delanty[44].

La notion de démocratie multiscalaire désigne l'idée d'un ensemble de cadres institutionnels formalisant des pratiques démocratiques (notamment, un certain degré de participation et des mécanismes d'imputabilité) à des échelles spatiales diverses. J'évite ici d'utiliser le terme « territorial » dans la mesure où, d'une part, il symbolise trop souvent un système fermé doté d'une hiérarchie stricte et, d'autre part, il pourrait y avoir de tels espaces sociopolitiques qui ne seraient pas nécessairement structurés par le territoire. Le terme « multiscalaire » est utilisé ici pour traduire cette idée de différentes échelles de formalisation et d'institutionnalisation des pratiques démocratiques, où l'État ne figure que comme un niveau parmi d'autres. Delanty utilise ce terme pour désigner l'élaboration d'une citoyenneté à niveaux multiples (*multilevel citizenship*). Je l'applique ici à l'idée d'une démocratie à plusieurs paliers dotés d'une hiérarchie souple (c'est-à-dire, où l'État n'est pas nécessairement ni toujours prioritaire en tant qu'ordre politique et normatif). Le terme s'applique ainsi parfaitement aux propositions du cosmopolitisme

---

43. Walker suggère que ce concept est trop imbriqué dans notre compréhension moderne de l'État, des communautés, des cultures, et qu'il vaudrait mieux carrément remettre en cause la vision moderne de la subjectivité (R.B.J. Walker, « Citizenship after the Modern Subject », *op. cit.*, p. 174). Selon lui, les nationalistes libéraux comme D. Miller et les cosmopolites comme A. Linklater partagent une même compréhension dualiste du sujet, caractéristique de la modernité. Le concept de citoyenneté exprimerait ainsi la limite de notre réflexion sur le politique. On comprendra que je ne peux pas ici aborder ce vaste débat.

44. G. Delanty, « Review Essay », *op. cit.*, ainsi que Gerard Delanty, « Models of Citizenship : Defining Identity and Citizenship », *Citizenship Studies*, 1, 1, 1997, p. 285-304. L'utilité potentielle de cette notion, si l'on fait abstraction des limites évoquées à la note précédente, dépend de sa capacité à rendre compte de différents niveaux d'allégeance et d'identification, et de mettre en place un cadre juridique assurant non seulement un minimum de droits mais aussi la participation et certaines responsabilités. La citoyenneté ne doit pas être réduite à un simple ensemble de droits formels.

institutionnel, dont je défendrai la pertinence empirique et normative au chapitre 3. L'argument empirique et l'argument normatif en faveur d'une démocratie multiscalaire sont en effet étroitement liés : s'il y a une reconfiguration, multiscalaire et diffuse, des rapports entre pouvoir et territoire, comme j'ai tenté de le montrer dans le présent chapitre, et que le contrôle des individus et des peuples sur leur destin doit avoir un sens dans ce contexte précis, il semble parfaitement approprié et justifié de plaider en faveur d'une redéfinition des pratiques démocratiques afin de répondre à cette reconfiguration. C'est dans ce sens qu'il faut comprendre les projets de démocratie cosmopolitique[45]. L'argument des nationalistes libéraux est qu'on ne retrouve pas en dehors de l'État(-nation) les conditions susceptibles de soutenir la démocratie libérale ; j'expliquerai au chapitre suivant pourquoi cela m'apparaît erroné. Affirmons simplement pour l'instant qu'il est possible de localiser la démocratie délibérative à d'autres échelles que celle de l'État(-nation) et que la territorialité étatique est par conséquent bien loin d'en épuiser toutes les possibilités[46].

Deux types de précision s'imposent, pour que l'on saisisse bien de quoi il est question ici : la nature et la forme des pratiques démocratiques à une échelle non étatique, et la question de ce qu'il advient de la souveraineté dans le cadre d'une démocratie multiscalaire. Je les aborderai successivement, la première sous l'angle supra-étatique,

---

45. Je réserverai le terme de démocratie cosmopolitique pour désigner spécifiquement les auteurs se situant dans ce courant, D. Held par exemple. Ce sont mes propres arguments que je situe dans l'optique de la démocratie multiscalaire.

46. Pour l'historiographie étatique, les institutions caractéristiques de l'ordre pré-étatique (états, droits historiques, systèmes juridiques spéciaux) représentent des bastions de la réaction et du privilège, des obstacles au développement du capitalisme, du marché, du libéralisme, et sont nécessairement réactionnaires parce que ni démocratiques, ni libérales (Michael Keating, « Par-delà la souveraineté. La démocratie plurinationale dans un monde postsouverain », dans J. Maclure et A.-G. Gagnon (dir.), *Repères en mutation, op. cit.*, p. 78). Mais aucune institution du Moyen Âge n'était démocratique au sens moderne du terme, et on ne peut pas présumer que ces institutions n'auraient pas pu se démocratiser de la même manière, par exemple, que le Parlement britannique l'a fait (*Ibid.*, p. 80).

la seconde sous l'angle du pluralisme juridique.

Les mécanismes d'imputabilité et de participation que l'on pourrait établir à un niveau supra-étatique pourraient fort bien ne pas prendre exactement les mêmes formes que dans l'État, notamment pour des raisons d'échelle. Selon Irina Michalowitz, il existe déjà une norme démocratique globale qui a émergé avec la réaction des individus et de groupes de la société civile aux négociations économiques globales ; et cette réaction correspond à l'idée que « la coopération internationale ne peut plus être vue comme une affaire intergouvernementale pour laquelle la participation des citoyens n'est pas importante[47] ». Elle soutient que les systèmes de gouvernance transétatique ne doivent pas être évalués strictement du point de vue de leur similarité avec l'État. Elle souligne notamment ceci :

> La mise en œuvre d'une norme de légitimation démocratique globale est une tâche difficile, si on considère les problèmes pratiques qui se développent à partir de la complexité des niveaux différents et des problèmes de souveraineté des pays individuels [sic]. Il est donc improbable qu'on arrive à une vraie démocratie globale selon les critères de participation, de contrôle et de responsabilité. Néanmoins, [...] il y a des éléments qui concernent notamment la participation des acteurs non gouvernementaux qui pourraient contribuer à une démocratisation du niveau international[48].

Michalowitz suggère par exemple que l'institutionnalisation du dialogue entre la société civile et la Commission européenne, qui permet la participation d'acteurs non gouvernementaux, peut servir d'exemple sur le plan international et augmenter le niveau de participation[49].

---

47. Irina Michalowitz, « Une légitimation démocratique supranationale est-elle possible ? L'Europe comme modèle de l'établissement des normes globales », Colloque « Les normes internationales au 21e siècle », Aix-en-Provence, septembre 2003, p. 7. Elle examine les problèmes qui se posent à l'étape d'acceptation de la norme, à partir de l'exemple de l'Union européenne qui peut être vue comme « prototype d'institutionnalisation de gouvernance démocratique supranationale ».

48. *Ibid.*, p. 16.

49. *Ibid.*

James N. Rosenau suggère lui aussi de poser les questions relatives à la démocratie dans l'espace globalisé d'une autre manière que dans les communautés territorialisées, et insiste sur le fait qu'il faut trouver des équivalents fonctionnels aux mécanismes de représentation et d'imputabilité qui soient adaptés à l'espace global[50]. Il suggère que la désagrégation, les organisations non gouvernementales, les mouvements sociaux, les villes et régions, ainsi que les nouvelles technologies de l'information constituent de tels équivalents fonctionnels[51]. On ne peut pas évaluer les progrès démocratiques à l'échelle globale à l'aune des institutions représentatives et décisionnelles existant à l'échelle étatique, mais plutôt en examinant la manière dont les mécanismes de contrôle *ad hoc* permettent de contrôler davantage le pouvoir, d'assurer que les intérêts soient entendus et pris en compte, et d'encadrer le comportement des acteurs qui tentent d'étendre leur influence[52].

On peut par conséquent suggérer que des conditions comme la participation, la transparence, le contrôle et l'imputabilité peuvent s'incarner de manière différente à l'échelle supra-étatique. J'avancerai même que si l'on établit qu'elles doivent prendre la même forme que dans l'État, on risque d'écarter *a priori* la possibilité d'établir des critères démocratiques à une échelle autre qu'étatique. Si par exemple on voulait transposer tels quels les mécanismes de la démocratie représentative à une échelle mondiale, la chaîne de contrôle et d'imputabilité serait étirée à un point tel que la représentation perdrait son sens et sa substance. Un peu comme la démocratie représentative s'est présentée comme alternative à la démocratie directe dans le contexte de sociétés vastes et complexes (mais sans nécessairement exclure la démocratie directe à de plus petites échelles), il faudra sans aucun doute élaborer des mécanismes différents si une norme démocratique doit s'appliquer à l'échelle supra-étatique. Dans

---

50. James Rosenau, « Governance and Democracy in a Globalizing World », dans D. Archibugi, D. Held et M. Köhler (dir.), *Re-imagining Political Community, op. cit.*, p. 40.

51. *Ibid.*

52. *Ibid.*, p. 49.

l'Union européenne par exemple, le Parlement n'apparaît pas comme le seul lieu de participation ; la Commission européenne tente de maintenir le dialogue avec d'autres acteurs de la société civile, en institutionnalisant certaines pratiques de consultation. On peut reprocher à ce dialogue de favoriser les intérêts organisés et de ne pas donner de voix officielle à la société civile. Cependant, même si ces mécanismes présentent certaines lacunes, ils constituent une base intéressante de réflexion sur les modalités de participation des individus et des groupes à l'échelle supra-étatique. Michalowitz souligne, entre autres, que ce faisant, l'Union européenne développe une culture de la délibération qui ne suffirait probablement pas à un niveau étatique mais dépasse largement celle du niveau international[53].

La question de la souveraineté doit aussi être abordée. Si l'on doit établir un système multiscalaire de gouvernance, dans lequel l'État ne constitue qu'un niveau parmi d'autres, alors il faut abandonner la notion classique de souveraineté. Il faut plutôt penser la coexistence de diverses sphères d'autorité, de différents ordres normatifs, qui ne soient pas inscrits dans une hiérarchie immobile nécessairement subordonnée à l'ordre étatique. La souveraineté diffuse ou différenciée (voir chapitre 3) ne peut cependant être comprise que dans l'optique du pluralisme juridique, nécessaire pour théoriser une dispersion de l'autorité qui conteste sa monopolisation par l'État.

Le concept de pluralisme juridique dénote la possibilité de multiples lieux d'autorité, fondés sur des ordres normatifs légitimes qui ne sont pas nécessairement organisés hiérarchiquement. Autrement dit, des ordres juridiques normatifs distincts peuvent coexister, dans le cadre d'une dispersion de l'autorité, sans qu'aucun n'ait à nier l'indépendance ou le caractère normatif de l'autre[54]. Alors que dans la conception statiste, les autres ordres normatifs sont *par définition* inférieurs et subordonnés, une idée pluraliste du droit voit celui-ci comme un ensemble de régimes normatifs qui se recouvrent

---

53. I. Michalowitz, « Une légitimation démocratique supranationale », *op. cit.*
54. N. MacCormick, *Questioning Sovereignty, op. cit.*, p. 75.

partiellement et se recoupent, et entre lesquels les relations d'autorité sont négociées, contestées ou instables[55]. Il serait donc possible d'abandonner le lien exclusif avec l'État, pour admettre d'autres structures organisationnelles et d'autres sources de validité correspondant aux propriétés analytiques du concept :

> Le droit est alors défini indépendamment de la manière dont les systèmes juridiques étatiques le définissent et définissent les sphères respectives de validité des ordres normatifs non étatiques. Cela présuppose que les revendications à la souveraineté, à l'exclusivité de la loi étatique et au monopole de la violence légitime, ne sont que des constructions normatives, et que ces revendications peuvent aussi être présentées pour des ordres normatifs non étatiques[56].

Certains seront tentés d'attribuer l'idée de fragmenter l'autorité à un schème de pensée postmoderniste qui saluerait la fragmentation sociale de manière générale et irréfléchie ; mais une telle idée apparaît tout autant prémoderne que postmoderne. L'Europe d'avant la modernité est en effet caractérisée par une telle fragmentation de l'autorité. Par ailleurs, il ne faut pas oublier la présence de traditions alternatives de conceptualisation de l'ordre politique et des rapports entre les pouvoirs de l'État et la légitimité populaire, notamment dans la tradition de l'humanisme civique.

Sur le plan constitutionnel, une telle optique pluraliste se traduit par l'affirmation de la possibilité ici aussi d'une pluralité d'ordres normatifs institutionnels susceptibles de valider le droit, chacun doté d'une constitution effective (minimalement, des normes encadrant l'exercice des pouvoirs gouvernementaux) et chacun reconnaissant la légitimité des autres dans leur propre sphère, sans qu'aucun ne prétende à la primauté constitutionnelle[57]. MacCormick suggère

---

55. Jo Shaw, « Postnational Constitutionalism in the European Union », *Journal of European Public Policy*, 6, 1999, p. 588.
56. Franz Von Benda-Beckmann, « Legal Pluralism and Social Justice in Economic and Political Development », *Bulletin of the Institute of Development Studies*, 32, 2, 2001, p. 48 (traduction de l'auteure).
57. N. MacCormick, *Questioning Sovereignty, op. cit.*, p. 104.

dans cette optique de voir l'Union européenne comme un *common-wealth* composé d'États qui ne sont plus totalement souverains et dont les relations ne dépendent pas d'un jeu à somme nulle dont l'enjeu serait la souveraineté. Il présente l'ordre juridique européen comme un réseau de systèmes juridiques reconnaissant mutuellement leur validité mais sur des bases parfois divergentes (par exemple, le droit communautaire pour la Cour de justice européenne, le droit constitutionnel intérieur pour les tribunaux nationaux)[58]. Keating souligne que le pluralisme juridique sur lequel repose l'Europe dénote une série d'ordres normatifs interreliés[59].

Parler de postsouveraineté (Keating) ou de souveraineté différenciée (Held) exige donc de contester le caractère monolithique et unitaire de la souveraineté au sens classique et d'admettre la possibilité d'ordres normatifs qui ne soient pas dépendants de l'État. On ne peut remettre en cause efficacement le modèle conventionnel de l'État sans admettre la possibilité de la coexistence de diverses sphères d'autorité qui ne soient pas mutuellement exclusives, ni inscrites dans une hiérarchie stricte dominée par l'État. Ce type d'argument est également nécessaire pour penser le plurinationalisme et actualiser le caractère normatif de l'appartenance nationale, questions que j'aborderai au chapitre 4. Le concept de pluralisme juridique présente en effet des affinités avec le concept de plurinationalité[60]. Il y a aussi d'autres outils théoriques utiles pour contester le caractère unitaire et monolithique de la souveraineté étatique. Pensons notamment au concept de subsidiarité, qui constitue certainement un

---

58. *Ibid.*, p. 102. Le cas de l'Union européenne, malgré son caractère unique, est particulièrement utile pour illustrer le caractère inadéquat de certains concepts-clés de la théorie démocratique et constitutionnelle hors du contexte d'États-nations posés comme homogènes. Elle peut être vue comme reposant sur un certain pluralisme juridique, avec la présence (non exclusive) de sources du droit autres que les constitutions étatiques, que ce soit à un niveau supra-étatique avec le droit européen ou à un niveau infra-étatique, avec les droits historiques des Basques, Catalans et Écossais, notamment (M. Keating, *Plurinational Democracy, op. cit.*).

59. M. Keating, *Plurinational Democracy, op. cit.*, p. 141.

60. *Ibid.*

contrepoids conceptuel fondamental au principe de souveraineté. C'est Johannes Althusius, le théoricien (calviniste) du fédéralisme qui en proposa la première élaboration systématique, amorçant une tradition opposée à la souveraineté telle que définie par Jean Bodin[61].

L'État s'inscrit donc à l'heure actuelle dans un système mondial multicentré, qui comporte divers niveaux d'interaction sociale et divers lieux de pouvoir. Il y a de nouveaux modes de régulation qui apparaissent, qui se révèlent plus ou moins formels, plus ou moins transparents, plus ou moins conflictuels, et qui se superposent à ceux qui relèvent de l'État (pour parfois les supplanter). Ces espaces d'interaction sociale (pensons par exemple aux réseaux qui s'établissent entre groupes de la société civile) sont susceptibles d'influencer les identités des individus (puisque celles-ci sont construites et influencées par les pratiques de coopération et d'interaction, ainsi que par les modèles adoptés par les individus) et de créer de nouveaux types d'allégeance qui se superposent à l'allégeance citoyenne. Le sentiment d'avoir à l'égard d'individus qui ne sont pas nos concitoyens mais avec qui nous œuvrons au sein de la

---

61. Ken Endo, « Subsidiarity and its Enemies : To What Extent is Sovereignty Contested in Europe ? », présenté au Congrès de l'Association internationale de science politique, à Durban, en 2003. Althusius exercera une influence sur les travaux d'Otto Gierke, lui-même considéré comme ayant influencé les travaux des pluralistes anglais (Frederick William Maitland et Harold J. Laski, notamment). Hirst rappelle en effet que la théorie de la souveraineté étatique illimitée, développée par Bodin et Hobbes, fut l'une des trois cibles du pluralisme anglais (les deux autres étant la théorie de la souveraineté populaire dans la tradition inaugurée par la Révolution française et la théorie de la démocratie représentative comme incarnant la volonté du peuple) (Paul Q. Hirst (dir.), *The Pluralist Theory of the State. Selected Writings of G.D.H. Cole, J.N. Figgis, and H.J. Laski*, Londres/New York, Routledge, 1989, p. 2). Les pluralistes s'opposaient à la souveraineté étatique au motif qu'elle mine les associations autonomes, qu'elle traite l'État comme agent unitaire, doté d'une volonté unitaire, et qu'une société où n'existerait aucun intermédiaire entre les citoyens et le pouvoir étatique serait tyrannique. Le pouvoir de l'État souverain est compatible avec la démocratie, pour les pluralistes, seulement si on assume que le peuple est homogène, qu'il a un intérêt et une volonté uniques, ce qui pour eux n'est pas plausible (*Ibid.*, p. 24-26).

société civile globale certaines obligations ou engagements peut même parfois prendre le pas sur le lien que nous avons envers nos concitoyens dans l'État.

La seule revitalisation de la démocratie intra-étatique est insuffisante. Elle est bien sûre importante s'il faut élaborer une démocratie multiscalaire dans le cadre de laquelle l'État demeurerait l'un des échelons de la vie politique des individus. Mais dans la mesure précisément où l'on adhère à un projet de démocratie multiscalaire, l'échelon étatique ne représenterait qu'*un* échelon parmi d'autres. Et dans la mesure où l'on considère que les nouveaux espaces et lieux de pouvoir appellent l'articulation de nouvelles pratiques démocratiques, il faut conclure que des réformes « internes » ne seraient pas suffisantes. Ce n'est toutefois pas l'objet de ce livre d'élaborer une *théorie* de la démocratie. Néanmoins, je veux insister sur la nécessité de multiplier les espaces démocratiques, et sur les raisons empiriques et normatives qui paraissent concourir à en faire une exigence. Sur le plan empirique, encore une fois, le principal défi est celui de la multiplication à l'échelle supra-étatique et transétatique des lieux de pouvoir, ainsi que le constat qu'émergent sur le plan social de nouveaux espaces d'interaction susceptibles d'être légitimés et institutionnalisés à différents degrés.

Le refus de dénaturaliser la territorialisation étatique nous condamnerait à rester enfermés dans une conception stato-centriste de l'action politique qui restreint la légitimité politique de certains types de revendications. Dans cette optique par exemple, les individus de diverses régions du continent américain qui s'opposent à la création de la Zone de libre-échange des Amériques ou demandent d'être consultés, ne sont pas présumés être liés par les liens de solidarité et de coopération censés caractériser les citoyens d'un État ; ils ne sont pas vus comme faisant partie d'une communauté politique, d'un espace démocratique. S'ils veulent être entendus au moyen de mécanismes officiels, institutionnalisés, c'est dans leurs États respectifs qu'ils doivent se faire entendre. L'optique stato-centriste comporte aussi le risque de négliger des lieux alternatifs importants d'action civique qui représentent potentiellement des contrepoids aux pouvoirs économiques. Même si on élargissait la dimension légale de la souveraineté, sans une conception plus souple et variée il apparaît difficile d'assurer davantage de participation et d'imputabilité.

Chapitre 3

Démocratie, nationalisme libéral et cosmopolitisme

> « Si la démocratie doit être renforcée, elle doit être située là où se trouve le *demos*, pas là où les théoriciens voudraient qu'elle soit[1] ».

Dans le modèle politique dominant (celui de l'État national territorial souverain), la citoyenneté incarne la relation de l'individu à l'État territorialisé. Elle repose sur la jonction entre appartenance à l'État territorial souverain et participation : « D'une part, il y a le lien avec la participation politique ; la citoyenneté est le statut ou la fonction qui permet de rendre les droits politiques opérationnels. D'autre part, le lien avec l'État définit les contours de la communauté politique pertinente et, en fait, la circonférence de l'espace politique[2] ». Les droits accordés par la communauté politique à l'individu sont l'une des composantes de la citoyenneté, qui symbolise l'appartenance à cette communauté, et une relation État/individu fondée constitutionnellement[3]. Outre l'aspect juridique, la citoyenneté comporte aussi des dimensions plus « substantielles » : la participation (dont l'exercice requiert certaines caractéristiques, notamment la majorité et la capacité juridique), certaines responsabilités et une dimension

---

1. M. Keating, *Plurinational Democracy*, *op. cit.*, p. 166 (traduction de l'auteure).
2. Zenon Bankowski et Emilios Christodoulidis, « Citizenship Bound and Citizenship Unbound », dans K. Hutchings et R. Danreuther (dir.), *Cosmopolitan Citizenship*, *op. cit.*, p. 84 (traduction de l'auteure).
3. G. Delanty, « Models of Citizenship », *op. cit*, p. 285.

identitaire. L'importance de chaque dimension et leur articulation varient selon les différents modèles de citoyenneté. Mais comme le souligne Delanty, les conceptions traditionnelles de la citoyenneté (les conceptions libérale, conservatrice, démocratique radicale et communautarienne) ont toutes comme point de référence normatif l'État-nation : « Le modèle de l'État-nation est rarement remis en cause : la citoyenneté se fonde sur un cadre territorial. Un modèle des droits semble présupposer une entité spatiale. Cela est une conséquence nécessaire du fait que la citoyenneté, dans le discours des droits, concerne avant tout la relation entre l'individu et l'État, et a reflété la tradition de la construction étatique et certaines des conceptions classiques du droit[4] ». C'est l'appartenance à un État qui définit les limites sociales et territoriales de la citoyenneté, de manière générale.

Sur le plan identitaire, c'est l'idée de nation qui vient soutenir la notion de citoyenneté en fournissant la base sociale et culturelle d'intégration à l'identité politique (voir chapitre 1). Lié à la localisation de la souveraineté dans le peuple, le concept de nationalité se trouve étroitement associé aux buts de la citoyenneté démocratique et à l'émancipation sociale à l'intérieur d'une communauté politique territorialement délimitée[5]. La citoyenneté (démocratique) a ainsi été historiquement limitée au cadre de l'État territorial souverain, incarnant de ce fait une tension entre l'aspiration à l'universalité (l'*égalité* des citoyens) et le particularisme (l'égalité des *citoyens*)[6]. L'utilisation du terme révèle cependant un éventail de significations variées : « La vaste étendue des fonctions possibles et des significations du concept de citoyenneté révèle [...] qu'il contient des éléments à la fois économiques, sociologiques, culturels et juridiques qui, dans leur intégralité, donnent au concept sa signification parti-

---

4. *Ibid.*, p. 286-287 (traduction de l'auteure).
5. B. Jenkins et S.A. Sofos, « Nation and Nationalism in Contemporary Europe », *op. cit.*, p. 12.
6. Voir notamment Ulrich K. Preuß, « Citizenship in the European Union ; A Paradigm for Transnational Democracy ? », dans D. Archibugi, D. Held et M. Köhler (dir.), *Re-imagining Political Community, op. cit.*, p. 141-142.

culière. En fonction de la dimension caractéristique de différentes époques et de différentes sociétés, l'idée de citoyenneté peut varier considérablement[7] ».

Ce n'est pas mon intention de discuter ici des différentes théories de la citoyenneté. Rappelons cependant que depuis le début des années 1990, les débats sur la citoyenneté ont notamment pris place autour de quatre thèmes : la nécessité de revaloriser la dimension participative ; la nécessité d'accommoder le pluralisme social et culturel ; la possibilité de détacher un certain nombre de droits fondamentaux de la citoyenneté pour les universaliser ; la possibilité et le caractère souhaitable d'une citoyenneté supra-étatique ou même globale. C'est sur cette dernière question que je vais me pencher dans le cadre de ce chapitre, en l'abordant sous l'angle du débat entre le nationalisme libéral et le cosmopolitisme institutionnel. L'engagement envers la démocratie dans le cadre contextuel de la mondialisation peut en effet prendre diverses formes, et pour illustrer le type de débat qui a cours en théorie politique libérale à ce sujet, je me servirai de ces deux thèses divergentes. Les défenseurs de la première approche croient qu'une citoyenneté responsable dépend de conditions de confiance mutuelle qui découlent d'une identité nationale commune et que la démocratie doit par conséquent s'incarner essentiellement à l'échelle de l'État-nation. Les tenants de la seconde suggèrent que les transformations liées à la mondialisation rendent impératif de repenser les idées-clés de la démocratie sur une autre base que la citoyenneté dans l'État national. La clarification des enjeux de ce débat est importante, dans la mesure où il faut déterminer si les postulats de la théorie démocratique conservent leur pertinence dans un contexte où on ne peut plus assumer la symétrie et la congruence entre les citoyens-électeurs et ceux qui prennent des décisions[8].

Je vais d'abord exposer les principaux arguments de versions particulières du nationalisme libéral et du cosmopolitisme

---

7. *Ibid.*, p. 144 (traduction de l'auteure).
8 . D. Held, « Changing Contours », *op. cit.*, p. 18.

institutionnel en tablant essentiellement, bien que pas exclusivement, sur les travaux de David Miller et de David Held. Les travaux de Miller illustrent en effet particulièrement bien la thèse du *demos*, dont la contestation est nécessaire pour appuyer l'idée d'une démocratie multiscalaire. Quant aux travaux de Held, ils constituent la tentative la plus élaborée, en théorie politique libérale, de développer un modèle politique transcendant l'État territorialisé souverain. Held postule que le nœud du déficit démocratique en contexte de mondialisation renvoie aux rapports entre démocratie et souveraineté. J'expliquerai ensuite les principaux termes du débat, afin de clarifier ce qui m'apparaît en être l'enjeu fondamental. Celui-ci me semble porter sur la détermination du constituant approprié, c'est-à-dire de cette ou ces communautés de personnes interdépendantes, capables de se projeter dans le temps en tant que sujets politiques pour décider des orientations à donner à leur vie commune. La thèse des nationalistes libéraux repose sur le postulat que la démocratie exige un *demos* prédéfini, uni autour de valeurs et de symboles communs, d'un consensus social, *demos* sans lequel il n'y a ni confiance, ni solidarité durable possibles. Or défendre la possibilité d'une démocratie multiscalaire suppose plutôt que la question du constituant approprié ne peut (ni ne doit) être fixée *a priori*, et qu'un *demos* unitaire n'est pas nécessaire pour soutenir les pratiques démocratiques. Il apparaît donc fondamental d'expliquer pourquoi la thèse du *demos* prédéfini peut être remise en cause. Enfin, je reviendrai sur la question des contraintes institutionnelles et des obligations politiques. La thèse nationaliste libérale sous-estime en effet l'importance du modèle de l'État et des contraintes institutionnelles pour le bon fonctionnement de la démocratie libérale dans les États existants. Or le cosmopolitisme défendu par Held reconnaît l'importance d'une approche institutionnelle, qui peut précisément contribuer à soutenir d'autres types de solidarités sociopolitiques et remédier au caractère surérogatoire des obligations de justice globale (dont j'ai parlé au chapitre 1). Dans la mesure où le modèle de l'État(-nation) restreint lui-même l'institutionnalisation de nos obligations les plus fondamentales envers l'espèce humaine (puisque dans ce cadre ce type d'obligations n'est pas vu comme étant de nature politique), il faut le soumettre à un cadre institutionnel capable de formaliser ces obligations pour en faire des devoirs de droit, plutôt que de simples devoirs de vertu laissés à la discrétion des agents.

Le nationalisme libéral

Le nationalisme libéral insiste sur l'importance de l'identité nationale comme source d'allégeance, d'identification et de participation ; il en fait une condition fondamentale de la légitimité de l'État moderne et de la politique démocratique libérale, et même éventuellement un rempart contre la mondialisation économique. Le cosmopolitisme institutionnel propose d'articuler, sur la base du principe d'autonomie, un projet de démocratie cosmopolitique qui remet en cause la formulation traditionnelle de la relation État/démocratie énoncée dans les doctrines dominantes de la souveraineté étatique et populaire. Pour les défenseurs du cosmopolitisme institutionnel, le débat a pour enjeu fondamental le rapport entre la démocratie et la souveraineté étatique. Pour les nationalistes libéraux, il porte plutôt sur des conceptions différentes de la démocratie elle-même.

La thèse nationaliste libérale peut être résumée ainsi : « On peut concevoir la démocratie libérale comme comportant trois types de principes distincts mais connexes : a) la justice sociale ; b) la démocratie délibérative ; et c) la liberté individuelle. Selon les nationalistes libéraux, ces trois principes se réalisent le mieux – et se réalisent peut-être même uniquement – dans des entités politiques *nationales*[9] ». Selon cette thèse, les individus ne sont prêts à accepter des obligations envers un groupe social élargi que si existent le sens d'une identité commune et un niveau élevé de confiance. Ces mêmes conditions sont nécessaires pour soutenir la démocratie délibérative. Jocelyne Couture définit le nationalisme libéral comme une forme de nationalisme qui 1) renvoie à une société acquise à la tolérance,

---

9. W. Kymlicka et C. Straehle, « Cosmopolitanism, Nation-States, and Minority Nationalism », *op. cit.*, p. 68 (traduction de l'auteure).

2) garantit à chacun de ses membres des droits et libertés démocratiques égaux, 3) conçoit la société comme étant composée de membres qui partagent «une culture, une langue, une histoire, une représentation d'eux-mêmes et certains projets collectifs généraux», incluant la préservation ou l'acquisition de la souveraineté politique de la nation[10].

Cette thèse véhicule, comme le souligne Couture, un argument sociologique sur les conditions épistémiques et morales de participation démocratique, argument parfaitement illustré par les propos de Miller. Pour Miller, ceux qui aspirent à des formes transétatiques et globales de citoyenneté n'ont pas bien saisi les conditions d'une véritable citoyenneté. Miller adhère à une conception de la citoyenneté qu'il qualifie de républicaine, qui d'une part comporte, outre les droits et obligations associés à la tradition libérale, la volonté d'agir positivement pour défendre les droits de ses concitoyens et les intérêts communs, et d'autre part insiste sur l'importance d'assumer un rôle actif dans les arènes formelles et informelles de la politique de manière à exprimer son engagement envers la communauté (et par conséquent, pas uniquement pour contrôler le gouvernement ou promouvoir des intérêts sectoriels)[11]. Cette conception met l'accent sur la participation aux décisions concernant l'avenir d'une société lors des débats politiques. Il s'agit moins d'un statut que d'un rôle, spécifie Miller, rôle qui exige une bonne dose de vertu civique[12].

Or la citoyenneté républicaine est exigeante de deux points de vue: les citoyens doivent être suffisamment *motivés* pour remplir

---

10. Jocelyne Couture, «Pour une démocratie globale: solidarité cosmopolitique ou solidarité nationale?», dans Michel Seymour, *Nationalité, citoyenneté, solidarité*, Montréal, Liber, 1999, p. 293-294 et 296.

11. D. Miller, «Bounded Citizenship», dans K. Hutchings et R. Danreuther, *Cosmopolitan Citizenship*, *op. cit.*, p. 62-63.

12. *Ibid.*, p. 62. Miller reconnaît qu'il s'agit d'un idéal exigeant, que peu de gens réalisent en pratique. Cependant, «[i]l ne s'agit pas de savoir si nous pouvons imaginer une société dont tous les membres se comporteraient comme de parfaits citoyens […] mais plutôt si la vie politique dans les démocraties modernes peut être guidée par l'idéal républicain» (*Ibid.*, p. 63) (traduction de l'auteure).

leur rôle et ils doivent agir de manière *responsable*, en pensant au bien commun[13]. Agir en citoyen responsable exige notamment de reconnaître que ses propres préoccupations ne doivent pas avoir plus de poids que les préoccupations légitimes des autres et nécessite l'existence d'une assurance raisonnable que les autres agiront aussi de manière responsable (c'est le problème des resquilleurs éventuels). Mais les conditions de confiance mutuelle qui rendent la citoyenneté responsable possible ne sont réalisables que quand tous s'identifient à la nation et sont porteurs de l'identité culturelle appropriée. La coexistence d'identités nationales distinctes dans un État ne peut donc être qu'une solution de second ordre pour ceux qui aspirent à une citoyenneté républicaine[14]. La nationalité engendre la confiance et la loyauté nécessaires à la citoyenneté dans les conditions sociales modernes[15].

La critique que fait Miller du cosmopolitisme est fondée sur cet argument : il soutient que ni l'argument empirique, ni l'argument moral invoqués par les défenseurs de la démocratie cosmopolitique ne prennent au sérieux les préconditions de la citoyenneté[16]. Précisons d'abord, donc, que Miller insiste sur l'importance de distinguer l'argument (empirique) relatif à la perte d'autonomie des États de l'argument (moral) axé sur le caractère des obligations morales des individus. Le premier veut que l'autodétermination requière la création d'institutions transétatiques de citoyenneté (pour faire face par exemple à l'interdépendance des populations sur le plan environnemental) alors que le second insiste sur l'idée que nous avons des obligations internationales que nous ne pouvons satisfaire qu'au

---

13. *Ibid.*, p. 64-65.
14. *Ibid.*, p. 70.
15. *Ibid.*, p. 68.
16. Précisons que Miller ne nie pas que nous ayons des obligations de justice à l'échelle internationale, mais plutôt que nous devons, pour y faire face, créer des pratiques citoyennes transétatiques (*Ibid.*, p. 60). Couture soutient pour sa part que le nationalisme libéral satisfait parfaitement aux exigences de la démocratie cosmopolitique. Sa définition du nationalisme libéral écarte d'ailleurs toute forme incompatible avec la tolérance libérale et le cosmopolitisme (J. Couture, « Pour une démocratie globale », *op. cit.*, p. 298).

moyen de telles institutions (en matière de droits humains par exemple)[17]. Or, selon Miller, l'interdépendance croissante invoquée sur le plan empirique ne peut suffire à justifier la création d'obligations plus larges ; sur le plan environnemental par exemple, les conditions actuelles nous rendent plus conscients de notre obligation de ne pas menacer la qualité de l'environnement des autres, mais elles ne *créent* pas cette obligation[18].

La préoccupation principale de Miller est cependant moins le lien entre l'argument empirique et l'argument normatif que le fait que l'un et l'autre lui paraissent négliger les préconditions de la citoyenneté démocratique. Il s'en prend particulièrement (dans le cadre d'un débat avec A. Linklater) à trois idées du cosmopolitisme, soit l'idée d'un droit démocratique cosmopolitique, l'idée voulant que la citoyenneté puisse être exercée à différentes échelles territoriales selon les enjeux dont il est question, et l'idée selon laquelle les individus agissent aussi comme citoyens d'une société civile globale, en tant que membres de groupes transétatiques défendant des intérêts particuliers. Je veux m'attarder surtout à sa critique de la seconde idée, particulièrement importante pour les fins de mon argument. Mentionnons rapidement qu'en ce qui concerne la première, Miller soutient notamment que l'idée que les États doivent régler leurs différends en vertu du droit international n'a rien à voir avec la citoyenneté, et que l'idée que les individus puissent invoquer le droit international contre l'État dont ils sont les ressortissants ne correspond qu'à une version formelle de la citoyenneté libérale ne comportant ni reconnaissance réciproque ni activité publique[19]. Relativement à la troisième idée, Miller souligne l'impossibilité d'être citoyen du monde, étant donné l'absence de communauté politique déterminée, caractérisée par des relations de réciprocité, à cette échelle ; cette absence se traduit nécessairement par l'absence d'un sens de la responsabilité envers les autres[20].

---

17. D. Miller, « Bounded Citizenship », *op. cit.*, p. 72.
18. *Ibid.*
19. *Ibid.*, p. 74-76.
20. *Ibid.*, p. 79.

En ce qui concerne l'idée que la citoyenneté démocratique pourrait prendre forme à diverses échelles territoriales, les constituants étant définis selon la nature et la portée des enjeux, Miller se montre fort sceptique. D'abord parce que le fait de déterminer le constituant approprié, le lieu approprié de la décision politique, fera inévitablement l'objet de débats animés en l'absence d'une constitution déterminant à l'avance les domaines relevant de chaque niveau décisionnel. Même si on arrivait à régler cette question selon les enjeux, par exemple lorsqu'on devrait déterminer qui doit se prononcer par référendum sur un enjeu environnemental, un obstacle fondamental demeure, que Miller énonce ainsi :

> Pourquoi un membre de ce constituant se comporterait-il comme un citoyen responsable, plutôt que de voter uniquement en fonction d'intérêts personnels ou de ceux d'un groupe particulier ? Le constituant est créé comme corps artificiel pour décider de cette question précise. Ses membres n'ont aucune raison de s'attendre à devoir de nouveau prendre des décisions ensemble. Ils ne sont pas non plus unis par des liens communautaires ou des relations de confiance. Ce qui crée le constituant, c'est uniquement le fait (matériel) que la localisation de ses membres a pour conséquence que leurs actions ont un impact mutuel : par exemple, parce qu'il y a un problème de pollution créé par la proximité physique des communautés qui créent le constituant appelé à prendre la décision. Cela ne fait pas des membres du constituant des citoyens responsables[21].

---

21. *Ibid.* (traduction de l'auteure). Kymlicka et Straehle étayent ainsi cette objection : « [L]a démocratie exige de nous de faire confiance et de faire des sacrifices pour des individus qui ne partagent pas nos intérêts et nos buts. L'émergence d'identités transétatiques autour d'enjeux spécifiques peut expliquer pourquoi les membres de Greenpeace sont prêts à faire des sacrifices pour l'environnement à l'échelle planétaire, mais n'explique pas pourquoi ils seraient prêts à faire des sacrifices par exemple pour les minorités ethnoculturelles de la planète, particulièrement pour celles qui réclameraient le droit à des pratiques dommageables pour l'environnement. La démocratie exige de trancher entre des intérêts divergents, et par conséquent elle fonctionne mieux lorsqu'il y a une sorte d'identité commune qui transcende ces intérêts divergents. Dans les États-nations, idéalement, une identité nationale commune transcende les différences entre les groupes qui défendent le développement et ceux qui défendent

Autrement dit, l'absence de *demos* rendrait impossible l'établissement d'une relation de réciprocité et de confiance, empêchant les individus de se comporter comme des citoyens responsables et les conduisant à orienter leur vote strictement en fonction d'intérêts personnels ou sectoriels. On remarquera ici la définition que donne Miller de cette fameuse relation de réciprocité, lorsqu'il parle des individus qui seraient appelés à se prononcer sur cette question et formeraient pour la circonstance un constituant : « Ils ne sont pas engagés dans des relations de réciprocité, en vertu desquelles je peux accepter de promouvoir votre intérêt à cette occasion en sachant que vous défendrez le mien ultérieurement[22] ». Disons simplement pour l'instant que si c'est là la nature du bien commun qui unit les citoyens solidaires et responsables d'un État-nation démocratique libéral, les reproches faits par Miller à la thèse cosmopolitique deviennent beaucoup moins convaincants ; j'y reviendrai plus loin.

On retrouve un argument similaire chez Couture, qui concentre sa critique de la démocratie cosmopolitique sur les espoirs que fondent ses défenseurs sur la société civile comme lieu d'association et de participation. Les cosmopolites mettraient l'accent sur la liberté, pour l'individu, de choisir l'objet et le domaine de ses implications, au détriment de la solidarité sociale. La participation démocratique dans le contexte d'une société civile globale, telle que conçue par le modèle de la démocratie cosmopolitique, soulève en fait des problèmes de deux ordres selon elle. Il y a d'une part un problème relatif à la capacité de la démocratie cosmopolitique « de contenir les rapports de force au sein de la société civile globale et de contrer leurs effets pervers sur les processus démocratiques[23] ». D'autre part, se pose un problème relatif à la capacité du modèle « de circonvenir

---

l'environnement, et rend possible l'existence d'un certain niveau de confiance et de solidarité entre ces groupes. Il est difficile de voir ce qui peut jouer ce rôle au niveau transnational » (W. Kymlicka et C. Straehle, « Cosmopolitanism, Nation-States, and Minority Nationalism », *op. cit.*, p. 83) (traduction de l'auteure).

22. D. Miller, « Bounded Citizenship », *op. cit.*, p. 77 (traduction de l'auteure).
23. J. Couture, « Pour une démocratie globale », *op. cit.*, p. 307.

les limites épistémiques des associations de citoyens et de garantir la cohérence des décisions démocratiques[24] ». Si l'on compte sur une participation fondée sur la liberté individuelle de s'associer dans la société civile globale en fonction de certains enjeux et intérêts, on risque non seulement de voir intervenir dans les affaires locales des associations qui ne sont pas fondamentalement concernées par certains enjeux[25], mais aussi de voir intervenir des associations dont la connaissance et la compréhension des enjeux sont insuffisantes. La validité des processus démocratiques dépend en partie de ce que ceux qui y participent

> possèdent un degré de compréhension raisonnable des questions sur lesquelles ils sont appelés à se prononcer et des conséquences probables des options entre lesquelles ils doivent choisir. Le manque de compétence (dans le sens d'une absence de connaissance ou de sensibilité par rapport à une question donnée) devrait être une raison additionnelle, pour la démocratie cosmopolitique, de limiter l'intervention des associations internationales dans les affaires nationales. Mais l'absence de compétence et l'impossibilité pratique pour une majorité de personnes d'acquérir une compétence dans un domaine donné devraient aussi être une raison de limiter leurs interventions lorsqu'il s'agit de prendre des décisions

---

24. *Ibid.*
25. Elle donne l'exemple d'une association internationale qui interviendrait «dans un débat concernant l'implantation d'écoles confessionnelles dans une île isolée où la moitié de la population est religieuse et l'autre moitié ne l'est pas. La démocratie exigerait dans ce cas que les personnes concernées par la décision et ses conséquences soient les seules à décider» (*Ibid.*). Il est vrai, et c'est là une lacune du modèle proposé notamment par Held, que la démocratie cosmopolitique ne prévoit pas de version des droits collectifs et est surtout axée sur la liberté et l'autonomie individuelles. Cependant, il ne semble pas *a priori* impossible qu'elle intègre une version des droits collectifs, auquel cas les tests prévus par Held pour déterminer le constituant approprié à la décision sur des enjeux précis pourraient être modulés conséquemment. D'ailleurs, ces tests m'apparaissent déjà restreindre la possibilité d'intervention d'associations internationales dans des enjeux strictement locaux. Et Couture reconnaît que l'idée du droit d'intervention «semble louable dans les cas clairs où il y aurait, par exemple, violation systématique de droits par un gouvernement local» (*Ibid.*, p. 306).

concernant des questions complexes ou très spécialisées, comme le sont souvent les questions économiques ou environnementales[26].

Il faudrait donc selon elle restreindre la participation des associations en fonction de leur connaissance des questions en cause[27].

Ces problèmes dépendent en fait, selon Couture, de l'idée même d'associations libres défendue par la démocratie cosmopolitique. Celle-ci doit prévoir des mécanismes permettant d'éviter ou de contrôler « les situations où risquent de jouer, soit des compétences limitées, soit des rapports de force disproportionnés, soit les deux[28] ». Autrement dit, elle doit prévoir un ensemble de contraintes institutionnelles encadrant la liberté d'association et de participation[29]. Dans les démocraties constitutionnelles, les institutions publiques ont en effet pour fonction de structurer la société civile, d'encadrer la participation démocratique, de garantir l'égalité démocratique et d'actualiser une raison publique[30]. En outre, dans l'argument cosmopolitique, les associations sont basées sur une appartenance volontaire, donc elles peuvent être homogènes et exclusivistes et menacer la stabilité politique. En effet, « [p]uisque la société civile selon la démocratie cosmopolitique est en fait un ensemble d'associations, et puisque la théorie ne fournit aucune motivation pour des solidarités transassociationnelles (pas de raison publique), il semble que les citoyens du monde n'ont pas besoin d'être acquis au pluralisme ni à la tolérance[31] ». La stabilité et la consistance d'une

---

26. *Ibid.*, p. 307.
27. Elle croit qu'il faudrait également limiter « l'intervention d'associations qui ont des compétences limitées en matière de politique ou de morale ; la liste des causes dans lesquelles les citoyens peuvent s'engager ne devrait pas être si ouverte qu'elle leur permette, par exemple, de former des associations fortes vouées à la promotion de la suprématie des Blancs ou du fanatisme religieux » (*Ibid.*, p. 308). La portée de cet argument me semble cependant limitée dans la mesure où on pourrait objecter la même chose à propos de la prise de décision par les citoyens dans les États.
28. *Ibid.*, p. 309.
29. *Ibid.*
30. *Ibid.*, p. 310-311.
31. *Ibid.*, p. 312.

société civile globale exigeraient plutôt 1) l'allégeance à une raison publique reconnaissant la valeur du pluralisme et de la tolérance, et 2) l'abandon de l'accent mis sur la liberté de s'associer au profit d'un cadre institutionnel destiné à préserver la cohérence du processus décisionnel, cadre institutionnel soutenu par les citoyens[32]. On remarquera que le statut des organisations non gouvernementales est ici assimilé à celui des groupes de pression dans une démocratie constitutionnelle, à ceci près que l'action de ces derniers est restreinte par la raison publique[33].

En somme, il faudrait structurer la société civile beaucoup plus qu'elle ne l'est dans les propositions actuelles de démocratie cosmo-politique, grâce à des «institutions publiques susceptibles de modeler et d'encadrer la participation démocratique conformément à une raison publique ainsi que des instruments organisationnels et juri-diques capables de garantir les droits individuels et collectifs et d'assurer l'exécution des obligations corrélatives à ces droits[34]». Cela exige en fait un palier mitoyen de gouvernement. Or c'est précisé-ment, selon elle, ce que défendent les nationalistes libéraux en insistant sur le rôle et la nature de l'État-nation démocratique libéral, sauf que contrairement au cosmopolitisme institutionnel, ils con-çoivent la société comme une entreprise commune et ne réduisent pas la participation à la possibilité pour les individus de s'associer comme bon leur semble[35].

---

32. *Ibid.*, p. 316.
33. Chung fait la même remarque à propos de Miller : il considère les associa-tions de la société civile «comme des groupes de pression visiblement *motivés* par leurs intérêts particuliers, mais qui manquent d'un sens de *responsabilité* envers le bien commun [...] Or, il faut comprendre que pour [Miller], ces deux vertus civiques doivent converger vers les mêmes finalités (le bien commun) et ne seront véritablement intégrées que par l'individu imprégné de l'ethos de sa communauté» (R. Chung, «Citoyen-neté cosmopolitique et citoyenneté républicaine sont-elles conciliables ?», inédit, p. 7).
34. J. Couture, «Pour une démocratie globale», *op. cit.*, p. 316.
35. *Ibid.*, p. 317. Voir aussi J. Couture, «Nationalisme et démocratie mondiale. Entre le mythe de la communauté et le mirage du village global», dans M. Seymour (dir.), *États-nations, multinations et organisations*

La démocratie cosmopolitique

Les nationalistes libéraux soutiennent donc qu'en dehors de l'État-nation on ne retrouve pas les conditions susceptibles de soutenir la démocratie libérale ; il faut déduire de leur argument que l'objectif, dans le contexte actuel, devrait être de restabiliser un certain degré de coïncidence entre espaces fonctionnels et démocratie dans l'État. Avant de m'attarder sur certaines des difficultés posées par cette thèse et d'expliciter l'enjeu du débat qui l'oppose à la démocratie cosmopolitique, il faut d'abord exposer les principaux éléments de cette dernière ; j'utiliserai ici, pour ce faire, la version défendue par Held.

Il faut d'abord préciser ce que Held entend par « cosmopolitisme », un terme dont l'étymologie renvoie au statut de « citoyen du monde ». Held définit le cosmopolitisme comme étant constitué des valeurs de base établissant des critères que nul agent ne peut enfreindre (les êtres humains sont égaux et méritent d'être traités également sur le plan politique, c'est-à-dire sur la base d'un respect égal de leur faculté d'agir indépendamment de leur communauté d'origine) et comme définissant des formes de régulation politique et de législation créant des pouvoirs, droits et limites qui transcendent les revendications des États-nations[36]. Held énonce sept principes du cosmopolitisme institutionnel, regroupés en trois catégories. La première catégorie comprend les principes constitutifs de l'univers moral cosmopolitique (égale dignité, capacité d'agir de manière autonome, responsabilité et imputabilité personnelle). La seconde comprend les principes de légitimation (le consentement, la délibération réfléchie et la prise de décision collective à travers des procédures de vote, l'inclusion et la subsidiarité). La troisième ne contient qu'un seul principe, servant à établir la priorité dans la

---

supranationales, op. cit., p. 217-219. Elle croit que la société civile globale serait plus vulnérable aux effets antidémocratiques de la mondialisation économique, pour trois raisons : il est facile de manipuler ou de neutraliser les associations ; les associations épousent la logique de la division (elles n'obéissent pas à une logique solidariste) ; et le principe associatif est inégalitaire (la liberté d'association joue le jeu des intérêts capitalistes).

36. D. Held, « Law of States », *op. cit.*, p. 23.

satisfaction des besoins (éviter les torts sérieux et répondre aux besoins urgents)[37]. Le droit cosmopolitique enchâsse ces principes.

Aux yeux de Held, la mondialisation comporte des impacts sur la démocratie qui exigent l'élaboration d'une théorie des structures et processus interreliés du système global. La mondialisation imbrique les États dans un monde d'autorité et de gouvernance multiscalaire, réduisant leur autonomie et posant de nouveaux problèmes de délimitation des sphères de pouvoir; l'idée d'une communauté de destin ne peut plus être localisée à l'intérieur des frontières du seul État-nation. Dès lors, cependant, que la nature de la communauté pertinente est contestée, la notion que le consentement légitime le gouvernement (notion qui est à la base de la démocratie libérale) devient problématique. Par conséquent, la mondialisation a des implications fondamentales pour les idées-clés de la démocratie: la nature du constituant, le rôle de la représentation, la forme et l'étendue de la participation politique, la pertinence de l'État-nation démocratique comme garant des droits, devoirs et bien-être des sujets[38]. Par exemple, on peut se demander quels sont le constituant et le niveau de juridiction appropriés relativement aux questions de santé ou d'environnement[39].

La démocratie doit faire face à trois développements, soit 1) la manière dont les processus d'interdépendance économique, politique, juridique, militaire et culturelle modifient la nature, la portée et la capacité de l'État moderne; 2) la manière dont l'interdépendance régionale et globale crée des chaînes de décisions et de résultats politiques interreliés entre les États et leurs citoyens; et 3) la manière dont les identités culturelles et politiques sont modifiées par ces processus[40]. En fait, il y a un problème important relatif au fait que ce sont les frontières étatiques qui déterminent la base sur laquelle les

---

37. *Ibid.*, p. 24-31.
38. D. Held, « Democracy and Globalization », *op. cit.*, p. 22; David Held, *Democracy and the Global Order. From the Modern State to Cosmopolitan Governance*, Stanford, Stanford University Press, 1995, p. 18.
39. D. Held, « Democracy and Globalization », *op. cit.*, p. 22.
40. D. Held, *Democracy and the Global Order, op. cit.*, p. 136.

individus sont inclus ou exclus des pratiques et mécanismes de participation, alors qu'actuellement les processus socio-économiques et les résultats des décisions les concernant s'étendent par delà les frontières. La question peut donc être formulée comme celle du lieu approprié d'articulation du bien politique démocratique, dans un contexte où l'agent fait partie d'une variété de communautés qui se chevauchent.

La démocratie cosmopolitique exige de séparer le concept du pouvoir politique légitime de ses associations traditionnelles exclusives avec les États et des frontières fixes, au profit d'un cadre international de vie politique façonné par le droit démocratique cosmopolitique. Held insiste notamment sur la tension qui existe entre l'ancrage de l'imputabilité et de la légitimité démocratique à l'intérieur des frontières de l'État, d'une part, et la poursuite de la politique de puissance à l'extérieur, d'autre part[41]. La démocratie cosmopolitique exige que l'État ne soit plus le seul centre du pouvoir légitime à l'intérieur de ses frontières, qu'il s'articule avec un droit démocratique global, appliqué tant par delà les frontières qu'à l'intérieur des États. Elle exige le développement d'une capacité administrative et de ressources politiques indépendantes aux niveaux régional et global, pour compléter ce qui existe dans les communautés locales et étatiques[42]. Ces nouvelles institutions politiques « coexisteraient avec le système d'États, mais auraient priorité dans des sphères définies dont les activités ont des conséquences internationales et transnationales identifiables, requièrent des initiatives régionales ou globales pour être efficaces, et dépendent de telles initiatives pour satisfaire la légitimité démocratique[43] ».

Ainsi, le droit cosmopolitique doit être enchâssé dans les constitutions des parlements et assemblées aux niveaux étatique et international, et il faut étendre l'influence des tribunaux internationaux.

---

41. L'origine de cette tension réside dans la souveraineté territoriale, affirmée par les puissances européennes cherchant à consolider leurs domaines nationaux (D. Held, *Democracy and the Global Order*, *op. cit.*, p. 73).

42. D. Held, « Democracy and Globalization », *op. cit.*, p. 24.

43. *Ibid.* (traduction de l'auteure).

Il faut également, pour assurer sa mise en œuvre, créer un législatif et un exécutif transétatiques, aux niveaux régional et global, qui soient encadrés par les principes du droit démocratique fondamental. Il faut enfin créer une assemblée, dotée d'autorité, de tous les États et agences démocratiques, soit en réformant l'assemblée générale des Nations unies, soit en lui ajoutant une assemblée indépendante des peuples démocratiques élue directement par les peuples et imputable uniquement envers eux[44].

Held propose de repenser les idées fondamentales de la démocratie non pas sur la base de la citoyenneté étatique mais plutôt sur la base de la préoccupation libérale pour l'autonomie des individus, indépendamment de leur communauté d'appartenance. Il insiste sur le fait que les individus sont, dans le contexte actuel, confrontés à l'exercice du pouvoir sous de multiples facettes et dans de multiples lieux[45]. Il s'attaque à l'asymétrie caractéristique de l'accès aux infrastructures et réseaux globaux, ainsi qu'aux effets asymétriques de ces réseaux sur les perspectives de vie des individus et leur bien-être. C'est pourquoi Held identifie des sites de pouvoir (des lieux où le pouvoir configure des capacités individuelles) et spécifie pour chacun un ensemble de droits constituant des conditions fondamentales de participation politique et, par conséquent,

---

44. D. Held, *Democracy and the Global Order, op. cit.*, p. 272-273. Held suggère notamment que le système des Nations unies se conforme aux principes énoncés dans sa Charte, ou encore que l'on crée des parlements régionaux dont les décisions constitueraient des sources indépendantes de droit (D. Held, «Democracy and the New International Order», dans Daniele Archibugi et David Held (dir.), *Cosmopolitan Democracy. An Agenda for a New World Order*, Cambridge, Polity Press, 1995, p. 106-109).

45. Held situe l'autonomie au cœur du projet démocratique moderne. Il énonce ce principe de la manière suivante: «les individus devraient disposer de droits égaux et, par conséquent, d'obligations égales dans la spécification du cadre politique qui produit et restreint les alternatives qui s'ouvrent à eux; c'est-à-dire qu'ils devraient être libres et égaux dans la détermination de leurs propres conditions de vie, dans la mesure où ils n'utilisent pas ce cadre pour enfreindre les droits des autres» (D. Held, *Democracy and the Global Order, op. cit.*, p. 147) (traduction de l'auteure). Ce principe exprime l'idée que le peuple doit s'autodéterminer et que le gouvernement démocratique doit être un gouvernement limité (*Ibid.*, p. 147).

d'exercice légitime du pouvoir. Held croit en effet que le préalable à l'établissement d'une véritable structure commune cosmopolitique d'action politique est la protection des individus et de leur autonomie dans divers sites d'exercice du pouvoir[46]. Le pouvoir public est légitime dans la mesure où les institutions incarnent et font la promotion de l'autonomie démocratique, et dans la mesure où l'exercice de l'autorité politique peut être justifié par la promotion de l'autonomie démocratique.

Un tel système serait composé d'un éventail de centres de décision politique autonomes, agissant à l'intérieur de leur propre sphère de compétence et soumis uniquement aux exigences du droit démocratique[47] ; « [p]ar conséquent, la souveraineté peut être détachée de l'idée de frontières et territoires fixes et conçue, en principe, comme des régimes spatiotemporels flexibles. *La souveraineté est un attribut du droit démocratique fondamental, mais elle peut être ancrée dans, et en référer à, diverses associations autorégulatrices, des États aux villes et aux corporations*[48] ». Il s'agit en fait du concept de souveraineté différenciée, décrit par Chung comme opérant un partage des pouvoirs en fonction des types de problèmes qui nécessitent, selon les cas, une compétence transétatique, régionale, étatique ou locale, suivant le principe de subsidiarité[49]. Selon Held, nous nous trouvons d'ailleurs déjà dans un système politique multiscalaire, où la souveraineté étatique s'imbrique dans des cadres plus larges de gouvernance.

---

46. *Ibid.*, p. 199. Les sept sites de pouvoir qu'il énumère sont ceux qui concernent le corps, le bien-être, la culture, les associations civiles, l'économie, la violence organisée et les relations de coercition, les institutions juridiques et régulatrices.

47. *Ibid.*, p. 234.

48. *Ibid.* (traduction de l'auteure ; les italiques sont dans l'original).

49. R. Chung, « Citoyenneté cosmopolitique et citoyenneté républicaine sont-elles conciliables ? », *op. cit.* Voir aussi James Bohman et Matthias Lutz-Bachmann, « Introduction », dans James Bohman et Matthias Lutz-Bachmann (dir.), *Perpetual Peace. Essays on Kant's Cosmopolitan Ideal*, MIT Press, 1997, p. 13-14. Les principes suivants doivent permettre de décider du niveau approprié de prise de décision : les questions impliquant les individus dans la détermination directe des conditions de leur association relèvent du niveau local ; les questions et problèmes qui

Cette architecture permettrait aux individus de jouir de citoyennetés multiples, c'est-à-dire de droits et de responsabilités à différents niveaux d'organisation du pouvoir. Dans la mesure où les droits et responsabilités des individus comme citoyens et comme sujets du droit cosmopolitique coïncideraient, les individus pourraient être considérés *aussi* comme des citoyens d'un système universel de gouvernance cosmopolitique et ainsi jouir de citoyennetés multiples, c'est-à-dire d'une appartenance politique aux différentes communautés politiques qui les concernent ; « ils seraient citoyens de leur communauté politique immédiate et des réseaux régionaux et globaux plus larges qui ont un effet sur leur vie[50] ».

La démocratie cosmopolitique comporte par conséquent trois exigences. Elle veut d'abord « que les frontières territoriales des systèmes d'imputabilité soient redéfinies de manière à ce que les enjeux qui échappent au contrôle de l'État-nation – les flux financiers globaux, le fardeau de la dette des pays en voie de développement, les crises environnementales, la sécurité et la défense, les nouvelles formes de communication, etc. – puissent être soumis à un meilleur contrôle démocratique[51] ». Il faut ensuite repenser le rôle des agences régulatrices et fonctionnelles régionales et globales pour faire de

---

affectent les individus d'un territoire délimité sans déborder les frontières relèvent du niveau étatique ; les enjeux qui exigent une médiation transétatique à cause de l'impact que peuvent avoir certaines décisions, et qui requièrent une collaboration transfrontalière, relèvent des niveaux régionaux de gouvernance ; les enjeux impliquant des niveaux d'interrelation et d'interdépendance qui ne peuvent être résolus par les seules autorités locales, étatiques ou régionales appartiennent au niveau global. Trois tests s'appliquent : l'étendue (l'éventail des individus, à l'intérieur et par delà les frontières, affectés de manière significative par un problème ou une politique), l'intensité (le degré auquel ce problème ou cette politique affecte ces individus et, par conséquent, le degré d'intervention nécessaire au niveau régional ou global) et l'efficacité comparative (la manière dont chaque niveau peut contribuer à répondre aux objectifs de manière efficace) (D. Held, « Law of States », *op. cit.*, p. 29).

50. D. Held, *Democracy and the Global Order, op. cit.*, p. 233 (traduction de l'auteure).
51. I*bid.*, p. 268 (traduction de l'auteure).

celles-ci un élément central du système de gouvernance[52]. Il faut enfin repenser l'articulation des institutions politiques avec les groupes, agences, associations, organisations de la société civile et de l'économie (sur les plans étatique et international) afin que ces entités soient parties au processus démocratique[53]. La première chose à faire pour y arriver, selon Held, est de réformer le système des Nations unies ; mais il ne s'agit là que d'un premier pas puisqu'il faut aussi décentrer le modèle international, axé sur l'État et la souveraineté étatique[54]. Par exemple, la réforme du Conseil de sécurité des Nations unies pour modifier le système de veto et donner une voix au tiers monde pourrait compter parmi les objectifs à court terme de l'agenda des réformes ; à long terme, il s'agirait notamment d'établir un parlement global lié aux régions, États et localités.

Démocratie, souveraineté et État

Pour les nationalistes libéraux, le débat qui les oppose au cosmopolitisme met aux prises deux conceptions différentes, voire opposées, de la démocratie. L'une (la leur) mettrait l'accent sur la solidarité sociale, alors que la version de la démocratie véhiculée par le cosmopolitisme institutionnel serait axée sur la liberté des individus de s'associer ponctuellement dans la société civile globale pour défendre certains enjeux transnationaux. Pour le cosmopolitisme institutionnel, le cœur du débat porte non pas sur la nature de la démocratie mais plutôt sur le rapport entre la démocratie et la souveraineté étatique. Held souligne par exemple que ce qui est en jeu, c'est précisément « la relation entre l'idée de l'État comme corporation ou structure juridique et institutionnelle indépendante, et l'idée de la démocratie comme possibilité de déterminer de manière autonome les conditions de l'association collective[55] ».

---

52. *Ibid.*
53. *Ibid.*
54. *Ibid.*, p. 271-272 ; voir aussi D. Held, « Democracy and the New International Order », *op. cit.*, p. 111.
55. D. Held, *Democracy and the Global Order, op. cit.*, p. 146 (traduction de l'auteure).

Or, puisqu'on ne peut plus assumer que les gouvernements étatiques constituent le véritable siège du pouvoir, que l'idée d'une communauté de destin qui s'autodétermine ne correspond plus nécessairement aux frontières (à cause des différents processus économiques, juridiques, administratifs, culturels, qui limitent l'efficacité fonctionnelle des systèmes étatiques), que certains processus réfutent la notion classique de la souveraineté comme illimitée, indivisible et exclusive, et qu'il y a des acteurs et des forces qui agissent effectivement (et efficacement) sans tenir compte des frontières, la question de savoir «qui doit être imputable à qui, et sur quelles bases» ne trouve pas facilement réponse[56].

Il y a un second volet à ce débat, qui concerne plus spécifiquement les questions de justice. Pour les nationalistes libéraux, l'idéal cosmopolitique passe par la priorité de la justice au sein des États[57], alors que pour le cosmopolitisme institutionnel il y a une interrelation évidente entre la démocratie dans des communautés précises et la démocratie entre les communautés, entre la justice «locale» et la justice globale. Pour le cosmopolitisme institutionnel, la justice globale dépend de la *codépendance* des conditions internes et externes du progrès des institutions politiques: «parallèlement au progrès des démocraties nationales dont dépend la possibilité effective de la justice globale, l'épanouissement des forces endogènes de la démocratie au niveau domestique dépend en retour de l'environnement international qu'il s'agit précisément de réformer en vue d'une distribution plus équitable des ressources et des pouvoirs décisionnels à l'échelle mondiale[58]». Autrement dit, la somme des démocraties à l'échelle étatique ne donne pas nécessairement naissance à une démocratie globale[59].

---

56. D. Held, «Changing Contours», *op. cit.*, p. 27 (traduction de l'auteure).
57. Voir J. Couture, «Pour une démocratie globale», *op. cit.*; et R. Chung, «Citoyenneté cosmopolitique et citoyenneté républicaine», *op. cit.*
58. R. Chung, «Citoyenneté cosmopolitique et citoyenneté républicaine», *op. cit.*, p. 3, note 6.
59. Johan Galtung, «Alternative Models for Global Democracy», dans B. Holden (dir.), *Global Democracy, op. cit.*, p. 145. Galtung suggère que fonder la démocratie globale sur les États revient à «fonder la démocratie intérieure sur la seule noblesse» (*Ibid.*, p. 147) (traduction de l'auteure).

Les nationalistes libéraux ont raison de souligner le caractère individualiste du modèle du cosmopolitisme institutionnel (qui néglige notamment la question de l'appartenance nationale) ainsi que les difficultés à établir les conditions de délibération dans ce cadre. Leur critique soulève également la question de la dimension identitaire d'un modèle qui veut transcender celui de l'État-nation. Cependant, les objections qu'on peut soulever à l'endroit du nationalisme libéral lui-même soutiennent plutôt l'adoption d'une perspective qui s'inspire, au moins partiellement, du cosmopolitisme institutionnel, notamment sur le plan du diagnostic et de la nécessité d'articuler plusieurs niveaux de communautés politiques démocratiques.

Le modèle de l'État-nation défendu par les nationalistes libéraux en fonction de son rapport privilégié avec la démocratie est fondé sur la conjonction de certains éléments dans un espace déterminé (voir chapitre 1). Mais les changements actuels dans la relation entre les aspects fonctionnels et territoriaux (changements portés notamment par les processus économiques) tendent à désagréger ce modèle. Or les effets sur la démocratie sont significatifs, notamment parce que la prise de décision se dilue, que le *demos* ne correspond plus aux systèmes fonctionnels que la démocratie est censée contrôler et que « le pouvoir semble avoir échappé au contrôle des institutions démocratiques et imputables[60] ». Il y a de nouveaux espaces politiques, ou susceptibles d'être politisés, qui coexistent avec l'État ; et si les citoyens doivent avoir leur mot à dire sur leurs conditions d'existence, leur capacité d'agir sur le plan démocratique doit transcender le niveau de l'État[61].

Or, contrairement à ce qu'affirme la thèse nationaliste libérale, on peut soutenir, d'abord, que certaines des conditions susceptibles de soutenir la démocratie peuvent exister à d'autres échelles (et à cet égard, les nationalistes libéraux négligent le caractère artificiel des solidarités transassociationnelles, notamment) et, ensuite, que la

---

60. M. Keating, *Plurinational Democracy*, *op. cit.*, p. 135 (traduction de l'auteure).
61. W. Kymlicka et C. Straehle, « Cosmopolitanism, Nation-States, and Minority Nationalism », *op. cit.*, p. 82.

démocratie peut effectivement s'incarner à des échelles autres qu'étatiques. Examinons successivement ces deux possibilités.

En ce qui concerne la première, on ne peut trop insister sur le fait que les identités nationales sont des construits, qui résultent de processus historiques particuliers d'élaboration d'une identité commune qui non seulement n'existait pas comme telle auparavant, mais encore est le produit de représentations qu'une communauté se donne d'elle-même. Je ne veux pas insinuer que les nationalistes libéraux naturalisent la forme de l'État-nation, ni qu'ils le défendent nécessairement sous sa forme classique (qui requiert l'homogénéité culturelle du *demos*). Leur scepticisme quant à la possibilité de transcender le modèle de l'État-nation provient probablement en partie de la difficulté d'identifier de nouvelles formes de solidarités susceptibles d'être politisées et de soutenir une volonté collective capable de se projeter dans le temps comme corps politique, ainsi que d'un certain réalisme quant à l'influence de la présence même de l'État sur la manière dont se développera le système global. Cependant, l'émergence de telles formes de solidarité à d'autres échelles n'est ni impossible, ni improbable. Et en fait, je crois qu'on pourrait reprendre certains des éléments évoqués par Couture pour illustrer les difficultés à créer des solidarités transassociationnelles dans la société civile globale (par exemple, les solidarités entre travailleurs) et en trouver de parallèles pour caractériser les moments d'émergence et de consolidation de l'État-nation[62]. L'idée de nation a précisément été utilisée pour insuffler quelque chose comme ce sens transassociationnel à des individus qui souvent n'avaient que peu de choses en commun et étaient somme toute étrangers les uns aux autres. Elle a ainsi contribué à renforcer la différenciation issue de l'idéal de la souveraineté territoriale. Mais, les traits et motivations propres à appuyer l'appartenance et l'identification, capables de soutenir la réciprocité et la responsabilité citoyenne, peuvent prendre d'autres formes. Comme le dit fort bien Chung,

---

62. Pensons par exemple au titre fort évocateur de l'ouvrage d'Eugène Weber, *Peasants into Frenchmen.*

si l'idée de la communauté politique en tant qu'entreprise coopérative est nécessairement délimitée par la nature des bénéfices que l'on souhaite produire par le biais de la coopération sociale, les délimitations ne sont pas territoriales mais proprement sociales. De sorte que la définition de l'entreprise coopérative ne comprend pas uniquement la communauté politique territoriale mais peut aussi inclure des associations transnationales telles que les corporations professionnelles, les Églises, les ONG, etc. Le citoyen républicain peut donc partager ses allégeances entre plusieurs entreprises coopératives, formant les cercles concentriques de son univers moral, qui exigent toutes, à des degrés divers, le respect des principes de réciprocité et de *fair play*[63].

Les conditions initiales du développement de l'État-nation démocratique ne coïncident d'ailleurs pas avec le portrait qu'en dressent les nationalistes libéraux, en plus de résulter d'une convergence historique particulière. On peut donc difficilement affirmer *a priori* qu'il est impossible de recréer ces solidarités à d'autres niveaux. De même, l'argument du nationalisme libéral sur la compétence des individus et des associations est très contestable, dans la mesure où même à l'intérieur des États-nations on peut se poser des questions sur l'étendue de la compréhension qu'ont les individus relativement à certains enjeux, économiques ou environnementaux notamment. Il est également quelque peu irréaliste de présumer que dans l'arène de l'État-nation tous votent en fonction du bien commun plutôt que de leurs intérêts propres. Un problème comme celui du resquillage dépend plus de l'égoïsme moral que de la question de l'identité culturelle[64]. Il y a dans les États des citoyens irresponsables qui se prononcent uniquement en fonction de leurs intérêts personnels, comme il y en aurait dans un système de démocratie cosmopolitique. Mais si la présence du resquillage ne peut être utilisée pour invalider la démocratie libérale à l'échelle étatique, on voit mal comment elle pourrait être utilisée pour arguer de l'impossibilité d'une démocratie cosmopolitique ou multiscalaire.

---

63. R. Chung, «Citoyenneté cosmopolitique et citoyenneté républicaine», *op. cit.*, p. 11.
64. *Ibid.*

En ce qui concerne la possibilité de localiser la démocratie délibérative à plusieurs échelles, il est difficile de voir pourquoi les exigences fondamentales de la démocratie ne pourraient pas s'incarner à d'autres niveaux pour imbriquer l'État dans un système multiscalaire de gouvernance démocratique à l'échelle globale. Quelles sont les exigences fondamentales de la démocratie? Keating suggère qu'il s'agit essentiellement de l'existence d'espaces délibératifs où se forme la volonté démocratique, d'une part, et d'un ensemble de mécanismes d'imputabilité correspondant aux espaces de la prise de décision, d'autre part. La démocratie délibérative peut être localisée à différentes échelles, pour autant que ces espaces de délibération (communautés délibératives) soient reliés (par exemple par un système parlementaire), plutôt qu'isolés[65]. Ainsi, l'absence d'un *demos* européen n'empêche pas la présence de communautés de délibération de divers niveaux (coexistant et se chevauchant, et dont l'interprétation des relations mutuelles est parfois conflictuelle), de mécanismes (bien qu'insuffisants) d'imputabilité et d'un régime juridique, entre autres. Keating donne l'exemple du Parlement européen; celui-ci peut très bien contribuer à la surveillance des instances chargées de la fonction exécutive, sans reposer nécessairement sur une communauté délibérative paneuropéenne. La priorité est de parer aux risques de disjonction entre les communautés délibératives et l'ordre fonctionnel changeant[66].

En fait, on atteint ici ce qui semble être un des enjeux fondamentaux du débat : la question de déterminer le constituant approprié, c'est-à-dire cette ou ces communautés de personnes interdépendantes qui doivent décider ensemble des orientations à donner à leur vie commune. La question de la détermination de la communauté politique appropriée est en effet primordiale, comme celle de la manière dont se définissent et se redéfinissent les frontières entre les communautés. L'attitude des théoriciens sur cette question semble influencer l'analyse qu'ils font des possibilités de réinstitutionnaliser

---

65. M. Keating, *Plurinational Democracy*, *op. cit.*, p. 148-150.
66. *Ibid.*, p. 167.

les pratiques démocratiques à d'autres niveaux que celui de l'État. Des théories comme le nationalisme libéral (tout comme, d'ailleurs, les principales théories modernes de la démocratie) tiennent pour *antérieurement* déterminée la question de l'existence d'une communauté politique dans le cadre de laquelle les individus exercent leurs droits, remplissent leurs obligations et participent au forum public ainsi qu'à la prise de décision. Ainsi, Keating a tout à fait raison de souligner que la thèse de Miller, c'est que la démocratie requiert un *demos*,

> c'est-à-dire un peuple déterminé investi de la souveraineté et engagé dans un dialogue et une communication démocratiques. Il ne s'agit pas nécessairement d'un groupe ethnique homogène – en fait, cet argument utilise généralement le langage du républicanisme civique – mais il faut des marques identitaires et un engagement envers cette appartenance commune [...] Des symboles et valeurs communes, ainsi qu'un consensus social sous-jacent, sont nécessaires pour soutenir la confiance, de manière à ce que les groupes sociaux puissent accepter de perdre sur certains enjeux en sachant qu'ils pourront gagner sur d'autres enjeux ultérieurement ; et une langue commune peut être essentielle pour la communication et le débat sociaux[67].

Or la question du constituant (de savoir s'il peut être pris comme antérieurement donné, déterminé) est précisément la question centrale[68].

La thèse nationaliste libérale néglige en réalité deux éléments importants, à cet égard : 1) les termes de l'inclusion/exclusion sont sujets à contestation et cette contestation des frontières de la communauté, génératrice de nouvelles formes, fait elle-même partie de l'activité démocratique ; et 2) (par conséquent) la question du constituant approprié ne peut pas être fixée *a priori*. Comme le rappelle Michael Zürn, les composantes du *demos* et de la démocratie

---

67. M. Keating, *Plurinational Democracy, op. cit.*, p. 8 (traduction de l'auteure).

68. Z. Bankowski et E. Christodoulidis, « Citizenship Bound and Citizenship Unbound », *op. cit.*, p. 89.

se renforcent mutuellement; les frontières du *demos* ne sont pas données, mais socialement et politiquement définies[69].

Les nationalistes libéraux insistent sur l'idée que ce n'est pas le fait que des individus soient confrontés à une situation de domination qui détermine le constituant approprié, mais bien le fait pour des gens de vouloir y répondre ensemble. Ainsi, l'impact de certaines décisions (par exemple en matière environnementale) ne suffit pas à déterminer une communauté capable d'agir en tant que sujet politique. Mais cette réponse est problématique de plusieurs points de vue. Non seulement postule-t-elle un *demos* prédéfini et naturalise-t-elle des solidarités dont rien n'empêche de penser qu'elles puissent être recréées à d'autres niveaux, mais encore elle prédétermine la réponse à la question en excluant *a priori* que par exemple les habitants de régions transfrontalières puissent décider ensemble d'un projet (environnemental par exemple) qui les concerne tous; la réponse nationaliste libérale postule que cette communauté politique est nécessairement le *demos* qui correspond à l'État-nation. Ce qui revient à exclure que le processus de délibération lui-même, dans de telles circonstances, puisse créer des solidarités et engendrer un sens de la responsabilité. La thèse nationaliste libérale n'offre ultimement, comme perspective d'élargissement du politique, que la reproduction à une échelle plus vaste d'un modèle de démocratie lié à sa territorialisation dans l'État. En effet, puisqu'elle postule que la démocratie ne peut véritablement fonctionner que sur la base des caractéristiques qui prennent corps dans l'État-nation, c'est donc qu'il faut, pour penser une démocratie globale, pouvoir reproduire ces caractéristiques à une échelle plus vaste (ce qui n'est pas désirable). Il est intéressant de mentionner ici la similarité que soulignent Zenon Bankowski et Emilios Christodoulidis entre l'argument de Miller et l'argument du Tribunal constitutionnel allemand dans l'affaire Brunner. Dans cette affaire, le Tribunal soutint que la Cour européenne de justice ne pouvait

---

69. Michael Zürn, «Democratic Governance Beyond the Nation-State. The EU and Other International Institutions», *European Journal of International Relations*, 6, 2, 2000, p. 210.

avoir l'autorité de déterminer sa propre compétence étant donné l'absence d'un *demos* européen, absence qui ne permet pas de voir l'Europe comme une entité démocratique. « L'argument consiste à soutenir qu'il doit y avoir un seul système souverain, puisque l'État doit être défini par un peuple relativement uni et homogène. Autrement, il n'y a rien, puisque pour qu'un État existe, un peuple doit exister[70] ». Ils soulignent à juste titre que cette thèse mène à une impasse, de deux points de vue. D'une part, il ne servirait à rien de renforcer les institutions européennes, par exemple le Parlement, parce qu'en l'absence d'un *demos* elles ne peuvent de toute façon pas être démocratiques. D'autre part, si cela est exact, la seule manière d'en arriver à une communauté européenne démocratique est de créer un *demos* unitaire et homogène, et donc de détruire les autres *demoi* (allemand, français, britannique, etc.)[71].

Enfin, certains éléments de l'argument de Couture n'excluent en fait pas la pertinence d'évaluer la communauté de gens concernés en fonction de l'impact de la prise de décision. Elle parle en effet de cas où la démocratie exigerait « que les personnes concernées par la décision et ses conséquences soient les seules à décider[72] ». Cela semble appuyer la pertinence des tests proposés par Held pour déterminer le niveau de décision approprié pour traiter différents enjeux. Si l'argument des personnes « concernées » peut servir à restreindre l'étendue des personnes appelées à participer à la décision sur certaines questions, on voit mal comment on peut arguer qu'il ne peut pas être utilisé pour l'étendre lorsque la communauté concernée ne correspond pas aux frontières étatiques. En fait, la principale lacune de la démocratie cosmopolitique à cet égard est l'absence de mécanismes de protection des droits collectifs ; mais c'est une lacune à laquelle il est tout à fait possible (et souhaitable) de remédier, comme on le verra dans le dernier chapitre.

---

70. Z. Bankowski et E. Christodoulidis, « Citizenship Bound and Citizenship Unbound », *op. cit.*, p. 95 (traduction de l'auteure).
71. *Ibid.*, p. 96.
72. J. Couture, « Pour une démocratie globale », *op. cit.*, p. 307. Voir supra, chapitre 3, note 25.

La question des obligations politiques

La dernière question que je soulèverai dans ce chapitre est celle des contraintes institutionnelles; cette question est liée à la manière dont on conçoit le cadre des obligations politiques. Elle me ramène aussi à la présumée confusion entre l'argument moral et l'argument empirique dont souffrirait, selon Miller, le cosmopolitisme institutionnel. Les nationalistes libéraux soulèvent la question des contraintes institutionnelles encadrant la vie politique et l'importance d'un tel cadre pour l'établissement de tout projet démocratique libéral. Le cosmopolitisme institutionnel reconnaît l'importance d'un tel schème. En effet, un des avantages d'une approche institutionnelle est qu'elle « nous lie potentiellement à un large éventail d'inconnus et soutient le devoir de protéger même les droits négatifs que nous n'aurions pas violés. L'accent n'est plus mis ici sur la relation directe entre individus, mais sur la justice des pratiques et arrangements desquels les gens sont parties et pour lesquels ils sont conjointement responsables[73] ». Selon Richard Bellamy et Dario Castiglione, c'est le fait de vouloir traduire positivement à un niveau global les droits moraux individuels qui relie les aspects empirique et normatif de la thèse cosmopolitique[74].

Cela me ramène donc à la confusion présumée entre argument empirique et argument moral. Dans beaucoup d'États, le cadre institutionnel précède le développement de l'identité nationale moderne et les contraintes institutionnelles jouent un rôle fondamental dans l'établissement et la préservation des pratiques de solidarité et de la confiance mutuelle. Or il est difficile d'exclure *a priori* l'efficacité d'un schème institutionnel global (on pourrait écarter certaines formes *a priori* comme étant non réalisables ou non désirables, mais pas le principe lui-même) alors même que dans les États nationaux, les institutions sont en grande partie responsables des arrangements

---

73. Richard Bellamy et Dario Castiglione, « Between Cosmopolis and Community : Three Models of Rights and Democracy within the European Union », dans D. Archibugi, D. Held et M. Köhler (dir.), *Re-imagining Political Community, op. cit.*, p. 155 (traduction de l'auteure).

74. *Ibid.*, p. 156.

de réciprocité et de solidarité. S'il est exact que, dans le cadre des États nationaux, des institutions communes ont contribué à créer des identités collectives, à soutenir la solidarité et à construire la confiance mutuelle, alors on voit difficilement pourquoi ce ne pourrait être le cas à d'autres échelles, infra ou supra-étatiques. Ainsi, « [d]es institutions communes peuvent avoir pour effet la création d'une volonté corrélative de vivre ensemble [...] et d'assurer la communication et les engagements nécessaires pour légitimer la règle de la majorité [...]. Le rôle des institutions dans la configuration des perceptions, des préférences et des alternatives suggère qu'il est prématuré d'être pessimiste à cause de l'absence actuelle de confiance[75] ».

Les institutions et les pratiques sociales jouent un rôle important dans l'élaboration de mécanismes susceptibles de soutenir la confiance[76]. Des lignes d'autorité claires et des mécanismes de surveillance et de sanction réduisent généralement la tentation de resquiller ou de se soustraire à ses engagements. Une fois des cadres stables de coopération établis, la socialisation joue un rôle important dans la stabilité ; les institutions peuvent contribuer à accroître la confiance mutuelle en socialisant les individus à des normes fondées sur la coopération inconditionnelle. Elles peuvent donc soutenir la réciprocité générale (je suis prête à faire quelque chose pour quelqu'un en sachant que plus tard cette même personne fera quelque chose pour moi), mais aussi une réciprocité de type impersonnel, de sorte que l'individu sache que s'il fait quelque chose pour quelqu'un, un autre individu agira aussi pour lui éventuellement[77].

Par exemple, Ulrich K. Preuß suggère que l'introduction de la citoyenneté européenne pourrait bien avoir comme effet d'ouvrir une multiplicité de loyautés et de rôles sociaux susceptibles de diminuer la dominance de la loyauté à l'État parmi les allégeances et

---

75. Andreas Follesdal, « Union Citizenship : Unpacking the Beast of Burden », *Law and Philosophy*, 20, 2001, p. 323 (traduction de l'auteure).

76. *Ibid.*, p. 316.

77. *Ibid.*, p. 317. Ce dernier aspect n'est donc pas centré sur des personnes ou des institutions précises ; ce n'est pas non plus une question de choix stratégique conscient.

affiliations des individus[78]. Les principes de l'effet direct (c'est-à-dire l'application du droit communautaire sans qu'il soit transformé préalablement en droit étatique par les législatures) et de la suprématie du droit communautaire sur le droit étatique pourraient par exemple contribuer à créer une affiliation plus directe entre les citoyens des États membres et la Communauté[79]. Les travaux de Yasemin Soysal sur la transformation de l'État-nation et des identités citoyennes dans le cadre de la consolidation de l'Europe comme entité transnationale montrent que la nation et l'espace de l'État national sont réinterprétés et remaniés. Elle insiste sur trois processus significatifs : un processus de normalisation des narrations nationales, qui a par exemple comme corollaire que les tribus ancestrales ne sont plus présentées en des termes héroïques mais sur le mode culturel, l'accent étant mis sur les rencontres interculturelles ; la domestication des héros et des mythes (traités de manière plus détachée) ; et la réorganisation de l'espace de l'État national (les spécificités régionales apparaissent comme des identités possibles dans une Europe des régions). L'analyse des manuels scolaires et des cursus montre un tournant vers l'Europe au cours des années 1990 : l'Europe y est présentée comme entité établissant un ensemble de principes pour décider du futur ; les responsabilités et la conscience globales deviennent manifestes ; la nation et la région sont réinterprétées dans le contexte européen[80]. Pour sa part, Andreas Follesdal

---

78. U.K. Preuß, « Citizenship in the European Union », *op. cit.*, p. 148. L'introduction de la citoyenneté européenne peut aussi faciliter l'expression de la loyauté nationale d'unités infra-étatiques (ce que Keating appelle les « nations sans État »).

79. *Ibid.*, p. 138-139. Voir aussi Z. Bankowski et E. Christodoulidis, « Citizenship Bound and Citizenship Unbound », *op. cit.*, p. 100. Notons que de l'avis de Preuß, cela n'articule pas pour autant la volonté d'un *demos* européen, les citoyennetés étatique et européenne étant appelées à coexister (U.K. Preuß, « Citizenship in the European Union », *op. cit.*, p. 147).

80. Yasemin Soysal, « Locating European Identity in Education », dans António Nóvoa et Martin Lawn (dir.), *Fabricating Europe. The Formation of an Education Space*, Kluwer Academic Publishers, 2002, p. 55-66. Je remercie Gérard Bouchard d'avoir attiré mon attention sur les récents travaux de Soysal.

croit que l'instauration d'une citoyenneté européenne peut contri-buer à instaurer une confiance plus grande entre les individus des pays membres de l'Union ; il précise que les eurobaromètres mon-trent une augmentation du degré de confiance entre les individus des États membres de l'Union, entre 1976 et 1990, bien que ce degré demeure moins élevé qu'entre concitoyens d'un même État[81].

Si cet argument est fondé, deux conclusions s'imposent. D'abord, évaluer l'application de la thèse de la démocratie cosmopolitique aux relations globales dans leur état actuel fausse nécessairement l'analyse au profit de l'État national, doté d'un schème institutionnel complexe (du moins en Occident) qui soutient les pratiques de redis-tribution et de coopération. Ainsi, on peut par exemple se demander combien de gens, dans un pays comme le Canada, payeraient leurs impôts s'ils n'avaient aucune obligation stricte de le faire. Il est donc arbitraire de juger la redistribution volontaire qui s'effectue à l'échelle internationale à l'aune de ce qui se fait dans l'État. Deuxièmement, on peut en déduire qu'il n'est pas nécessaire de considérer qu'existent *une* société civile globale ou *une* communauté politique globale pour redéfinir le cadre des obligations politiques. Autrement dit, s'il est exact que la démocratie et la justice dépendent de pratiques de solidarité et d'un certain degré de confiance mutuelle, mais qu'il est tout aussi exact que le cadre institutionnel soutient ces pratiques (notamment en tant que cadre normatif dont la légitimité repose sur une identité construite), on peut difficilement s'opposer à la redéfinition de la sphère de nos obligations politiques et à l'argument pour une démocratie multiscalaire. La démocratie multiscalaire ne tente pas seulement de rendre compte de la possibilité d'appartenir à diverses communautés politiques ; elle doit aussi permettre de concevoir la justice globale autrement que sur le mode de la charité, puisqu'elle fait de l'État *une communauté démocratique parmi d'autres*, diffuse l'autorité, et qu'elle met l'accent sur la justice des arrangements du schème institutionnel (qui comporte plusieurs niveaux, dont le niveau global).

---

81. A. Follesdal, « Union Citizenship », *op. cit.*, p. 314.

L'argument moral et l'argument empirique sont donc étroitement liés, et ce, tant chez les nationalistes libéraux que chez les cosmopolites. Chez les nationalistes libéraux, c'est le modèle de l'État-nation, une construction historique incarnée dans un cadre institutionnel précis, qui détermine envers qui nous avons des obligations particulières et la communauté à l'intérieur de laquelle prennent forme certaines pratiques démocratiques. Or, dans nombre de cas, le cadre institutionnel de l'État précède le développement de l'identité nationale moderne. Il faut en fait échapper à l'idée d'un *demos* préconstitué et prédéfini.

Le modèle de l'État moderne comporte la restriction de la sphère des principales obligations éthiques à la communauté des citoyens, donnant préséance à ces obligations politiques sur nos obligations morales envers l'ensemble de l'espèce humaine ; il présente ces dernières comme « des devoirs de vertu qui échappent à toute contrainte institutionnelle » et dépendent de notre bonne volonté[82]. La conception usuelle de la citoyenneté est liée à ce schème. En effet, le concept de citoyenneté joue un rôle fondamental dans la dynamique d'inclusion et d'exclusion propre à l'État moderne comme forme d'organisation politique. La conception usuelle de la citoyenneté renvoie de ce fait à la tension entre ses dimensions universaliste et particulariste. Il est très important de comprendre qu'on ne peut pas séparer la question de la nature de la communauté politique de celle des obligations politiques. Dans le cadre du modèle de l'État-nation, les pratiques démocratiques sont fondées sur un lien étroit entre la démocratie et l'État territorial souverain. Mais si les États doivent participer au développement d'une sphère publique cosmopolitique (comme les nationalistes libéraux prétendent qu'ils peuvent parfaitement le faire), cela exige d'abandonner la souveraineté au sens classique et d'inscrire les États dans un système multiscalaire de gouvernance. Il faut aussi réexaminer la relation entre l'État territorial souverain et les individus comme citoyens. Le fait que dans un régime de souveraineté cosmopolitique les individus

---

82. R. Chung, «Réflexions normatives sur la justice globale», *op. cit.*, p. 12.

puissent avoir des recours contre l'État ne m'apparaît donc pas anodin (contrairement à ce que semble soutenir Miller), et ce, même si
on ne peut pas limiter le fait d'être citoyen à la capacité d'exercer
des recours juridiques pour protéger ses droits. En fait, la conception
multiscalaire que véhicule le cosmopolitisme institutionnel
permettrait précisément de concevoir des niveaux plus substantiels
d'interaction démocratique, qui incluraient la protection de droits
fondamentaux mais ne limiteraient pas à ces droits le cœur de la
citoyenneté et ne permettraient pas à n'importe quelle association
d'intervenir dans les affaires d'une communauté. L'idée de souveraineté différenciée peut donc contribuer à reformuler une nouvelle
conception du politique.

Si on conclut que le lien entre la démocratie et la souveraineté
étatique doit être relâché parce qu'il se situe au cœur du déficit
démocratique en contexte de mondialisation, la thèse nationaliste
libérale devient difficile à défendre, puisqu'il faut faire de l'État un
niveau dans un système multiscalaire (et donc abandonner l'idéal
de la souveraineté au sens classique), mais aussi (et peut-être surtout)
parce qu'il faut poser autrement les questions du constituant approprié, des communautés de délibération et de leur articulation à des
pratiques démocratiques. Car c'est précisément dans la contestation
de frontières (socio-spatiales) établies et dans l'idée que les individus
doivent exercer un pouvoir par rapport aux instances et lieux d'où
proviennent les décisions qui les concernent, que prennent forme la
vie démocratique et ses pratiques et modalités[83].

---

83. Comme le dit Craig Calhoun, c'est l'activité dans la sphère publique qui
    constitue le sujet collectif, et de ce point de vue il ne faut pas traiter la
    similarité culturelle comme la seule base de solidarité, puisque si l'appar-
    tenance culturelle peut être une source importante de solidarité, ce n'est
    certes pas la seule ; d'ailleurs, cette question de l'identité commune n'est
    pas résolue avant l'action politique et sa légitimation (Craig Calhoun,
    « Constitutional Patriotism and the Public Sphere : Interests, Identity, and
    Solidarity in the Integration of Europe », dans Pablo De Greiff et Ciaran
    Cronin (dir.), *Global Justice and Transnational Politics. Essays on the Moral
    and Political Challenges of Globalization*, MIT Press, 2002, p. 289-290).

J'ai suggéré dans ce chapitre que les nationalistes libéraux posent peut-être la question de la mauvaise manière, notamment parce qu'ils postulent un *demos* prédéfini et que leur argument occulte le caractère artificiel du modèle qu'ils défendent. Cela ne signifie pas que le renforcement des pratiques démocratiques dans l'État ne doive pas être défendu. Je ne soutiens pas que l'État disparaîtra sous peu, et de ce fait on ne peut que saluer toutes les réflexions sur la démocratie à l'échelle étatique. Ce que je soutiens, c'est que l'État souverain territorialisé occulte un mode de construction spatiale du pouvoir et qu'il y a également d'autres lieux de pouvoir sur lesquels les individus (même les citoyens des démocraties libérales) n'ont pas de prise. La critique du nationalisme libéral élaborée dans ce chapitre ne signifie pas non plus que l'appartenance nationale, les droits collectifs et la protection des minorités doivent être relégués à l'arrière-plan, au profit d'un cadre exclusivement individualiste. Le chapitre suivant revient sur cette question.

Le contexte actuel, comme les enjeux qu'il pose, exige de pouvoir rendre compte de ce qu'on pourrait appeler une « géométrie variable » : l'articulation de multiples lieux d'identification, de mobilisation et d'action, qui ne sont pas inscrits dans une hiérarchie immobile et dont les limites spatiales ne coïncident pas nécessairement. Comment penser la démocratie dans ce cadre autrement que par la complexification de la participation, de la représentation et de l'imputabilité ? Si on ne remet pas en cause l'État territorialisé comme seul lieu possible des pratiques démocratiques et comme seule unité fonctionnelle de médiation entre les individus et les sociétés, alors on risque de se trouver confiné à un modèle de citoyenneté exclusif et formel (renforçant le sentiment d'aliénation des citoyens, qui ont déjà trop souvent l'impression de ne pas réellement participer aux décisions qui les concernent).

Je n'ai pas parlé ici de la dimension identitaire d'un ordre postétatique. La thèse nationaliste libérale soulève aussi, en fait, la question de savoir quelles formes identitaires peuvent, après l'État-nation, asseoir des formes politiques plus complexes mais néanmoins proches des individus et véritablement démocratiques. Il ne peut être question de créer une seule communauté globale, non seulement parce que cela pourrait constituer une menace à la démocratie et à la diversité, mais aussi parce qu'il semble bien que l'existence de certaines frontières (au sens très large, ici, et pas seulement territorial) soit fondamentale pour l'individuation des individus comme des communautés. Si les identités sont plurielles et multiples, cependant, il ne peut pas y avoir de correspondance exacte entre ces «frontières». Peut-être que, comme le suggère Walker, la difficulté principale provient du fait que nos conceptions du politique et de la citoyenneté restent enfermées dans la conception moderne empiriste et dualiste du sujet[84]; si c'est le cas, les thèses sur les identités plurielles, la souveraineté différenciée, le pluralisme normatif et juridique symbolisent peut-être un changement paradigmatique nécessitant de repenser la relation entre le sujet et l'autre, ainsi qu'avec la nature, sur le plan épistémologique.

---

84. Le concept de citoyenneté exprimerait de ce fait la limite de notre réflexion sur le politique.

Chapitre 4

États, nations et territoires

L'argument développé jusqu'à maintenant permet de soutenir la possibilité d'une démocratie multiscalaire, sur le plan empirique, ainsi que son caractère désirable sur le plan normatif. Concevoir une démocratie multiscalaire exige de se défaire d'un certain nombre de postulats liés au modèle de l'État national, notamment la nécessité de faire coïncider les espaces sociaux, politiques, culturels et économiques, d'une part, et un certain nombre de monopoles sur la vie sociale d'autre part (monopoles qui, dans le modèle, sont l'apanage de l'État). Il reste cependant une question fort complexe à aborder, sur laquelle se penche ce dernier chapitre. L'argument élaboré dans le chapitre précédent n'examine pas la question des nations minoritaires et des minorités nationales ; or il m'apparaît fondamental de soutenir l'institutionnalisation du droit inhérent des nations à s'autodéterminer, à la fois à l'intérieur des États et dans le cadre d'un régime international de protection des droits des minorités. Ce questionnement accompagne nécessairement la critique du modèle de l'État national (voir chapitre 1), dans lequel le discours sur la souveraineté est intrinsèquement lié au discours des droits individuels, empêchant la pleine reconnaissance des minorités nationales. Il découle aussi du constat que le projet de démocratie cosmopolitique, axé sur l'autonomie individuelle, n'a pas semblé jusqu'à présent très préoccupé de la question des droits des minorités (il semble assumer que la protection de l'autonomie individuelle est suffisante). Or, comme le dit bien Kai Nielsen, « [n]ous ne pouvons pas devenir *seulement* des citoyens du monde. Nous ne pouvons pas être des membres *seulement* du parti de l'humanité, même s'il est, normativement parlant, extrêmement important que nous le soyons *aussi*[1] ».

Un des problèmes qui se posent à la théorie libérale lorsqu'elle tente de se situer par rapport à la mondialisation et au pluralisme national réside dans la difficulté de sortir du modèle de l'État territorialement souverain, ainsi que des catégories et postulats qui l'accompagnent ; c'est d'ailleurs parce qu'il théorise cette sortie que le modèle proposé par Held représente une contribution significative aux réflexions actuelles. Prenons par exemple ce qu'on appelle le paradigme de l'État multinational. On désigne par là les travaux (ceux de W. Kymlicka et de Y. Tamir par exemple) qui ont remis en cause le paradigme de l'État homogène, qui postulait la coïncidence entre la culture publique commune et la culture de la nation majoritaire[2]. Kymlicka a en effet souligné la présence chez John Rawls et Ronald Dworkin d'un modèle simplifié d'État-nation assumant de manière non critique la coïncidence entre une structure culturelle et une communauté politique. Cette ignorance de la distinction entre États-nations et États polyethniques ou multinationaux empêche, selon Kymlicka, la reconnaissance des droits des minorités culturelles[3]. Les travaux de Kymlicka ont été suivis de près par ceux de Tamir, notamment, symbolisant l'émergence, en philosophie politique

1. Kai Nielsen, « Le nationalisme cosmopolitique », dans M. Seymour (dir.), *Nationalité, citoyenneté, solidarité, op. cit.*, p. 186.
2. Je n'inclus pas ici les travaux de Tully, qui me semblent avoir une portée plus fondamentale quant à la critique du modèle de l'État que ceux de Tamir et de Kymlicka, notamment en ce qui concerne le statut des conditions de l'association et le rôle du dialogue. Il y a une véritable remise en cause de la conception moderne dominante de l'association politique, chez Tully, par exemple sur le plan de la question du constituant. C'est pourquoi quand je propose ici une critique du paradigme de l'État multinational, je vise essentiellement les travaux gravitant autour des arguments de Kymlicka.
3. Will Kymlicka, *Liberalism, Community, and Culture*, Oxford, Clarendon Press, 1989 ; « Liberalism, Individualism, and Minority Rights », dans Allan C. Hutchinson et Leslie J.M. Green (dir.), *Law and the Community. The End of Individualism ?*, Toronto, Carswell, 1989 ; « Liberalism and the Politization of Ethnicity », *Canadian Journal of Law and Jurisprudence*, IV, 2, 1991, p. 239-255.

libérale, d'un nouveau paradigme (celui de l'État multinational) axé sur l'élargissement des bases de la coopération dans des sociétés confrontées au défi du pluralisme culturel et de son expression politique.

Or, si le paradigme de l'État multinational, qui vise à institutionnaliser la reconnaissance de divers types de minorités, critique le postulat du caractère homogène de l'État, il ne remet pas en cause la relation de la citoyenneté et de la démocratie à l'État territorial souverain[4]. Il réaffirme en fait la plupart des catégories conventionnelles de ce modèle. Il ne rend pas non plus compte (par le fait même) du caractère essentiellement politique des revendications nationales. Il lui devient dès lors difficile de proposer des arrangements politiques inédits, et ce, malgré l'envergure intellectuelle des figures emblématiques de ce courant[5]. Ainsi, pour beaucoup de ces libéraux, la réponse à la recherche des fondements de la stabilité et de la légitimité des États multinationaux demeure fondamentalement axée sur la construction d'une identité civique globale, commune, dans l'État consolidé. Autrement dit, bien qu'ils tentent de formaliser un certain degré de reconnaissance des nations minoritaires et reconnaissent que la neutralité des démocraties libérales est un mythe, ces travaux cherchent tout de même à déceler les valeurs communes et cette identité globale (*overarching*) qui peuvent assurer la stabilité des associations multinationales[6]. Quant aux nationalistes libéraux, j'ai

---

4. Tamir par exemple tente de justifier la particularisation de la justice à l'intérieur de l'État-nation (Y. Tamir, *Liberal Nationalism*, *op. cit.*).

5. Il ne faut pas non plus négliger l'importance de la critique de l'État homogène articulée par les tenants du paradigme de l'État multinational.

6. La distinction souvent utilisée (sans être définie) entre une identité substantielle et une identité formelle n'aide pas à faire avancer le débat. Par ailleurs, ce type de thèse tend à considérer les demandes de reconnaissance des minorités nationales et nations minoritaires du point de vue de leur impact sur l'État consolidé. Or j'arguerai plutôt que comme le droit à l'autodétermination fait partie intégrante du contenu normatif de l'appartenance nationale, l'autodétermination ne peut pas consister en une simple dévolution de pouvoirs par l'État consolidé et ne doit pas être évaluée d'abord (sur le plan normatif) en fonction de son impact sur l'État consolidé, même si évidemment il faut éviter que l'opposition sur ces questions ne dégénère en violence politique.

expliqué dans le chapitre précédent qu'ils posent la nécessité d'une identité nationale commune pour fonder la confiance, la solidarité et le sens de la responsabilité qu'exige le fonctionnement de la démocratie libérale. Mais si cette thèse est valable normativement, elle ne peut l'être uniquement pour le nationalisme majoritaire ou étatique, et il faut dans ce cas soit accepter la fragmentation, soit imposer un nationalisme majoritaire.

Affirmer *a priori,* que ce soit explicitement ou implicitement, la priorité du lien civique (comme le font à la fois les nationalistes libéraux et les tenants du paradigme de l'État multinational) ne fait que poser la question ; rien ne justifie de donner préséance à l'État consolidé sur les autres formes d'appartenance donnant lieu à des liens civiques. Il apparaîtrait au contraire plus judicieux de favoriser le développement de ces liens et de travailler au dialogue entre communautés à partir de la convergence sur certains principes ou de la participation à des processus de dialogue plutôt que de chercher à museler politiquement les minorités nationales. Kymlicka rappelle qu'il est apparu, dans les démocraties libérales, qu'il n'était ni empiriquement réalisable ni normativement souhaitable de penser régler la question des minorités par le biais de l'assimilation. Si on souhaite intégrer ce constat et rendre compte de la nature *politique* des revendications des nations, il faut plutôt miser sur le développement d'une autonomie politique qui comporte certains principes sur la base desquels on peut assurer le dialogue et la coopération. C'est pourquoi d'ailleurs les réflexions sur le cosmopolitisme institutionnel et les travaux relatifs à la démocratie multiscalaire et à la souveraineté différenciée me paraissent plus susceptibles de contribuer à élaborer des réponses appropriées aux défis actuels.

La première section de ce chapitre s'attarde aux rapports de ce qu'il convient d'appeler le nationalisme majoritaire avec l'État ; il est important en effet de nuancer la distinction présumée entre nationalismes majoritaire et minoritaire. La seconde section revient sur la question du lien civique global et sur sa présumée priorité sur les autres allégeances. La troisième section examine l'intérêt de formaliser le principe de personnalité dans le cadre d'un régime de protection des minorités nationales; si en effet le principe de territorialité est porteur d'un certain nombre de problèmes importants quant à l'organisation des rapports entre nations, il semble alors approprié d'examiner un autre type de solution qui, sans le remplacer complètement, pourrait au moins lui être adjointe dans certaines circonstances. Ce type de solution requiert cependant que l'on remette en question l'unité idéologique de l'État territorial souverain, une entreprise dont j'ai tenté jusqu'à présent de montrer la pertinence. C'est pourquoi une courte discussion du principe de personnalité apparaît tout indiquée dans le cadre de la critique du modèle de l'État développée ici.

L'État territorial souverain et le nationalisme majoritaire

Le nationalisme n'est pas que le propre des mouvements minoritaires revendiquant une certaine dose d'autodétermination, et pour lesquels on parle de nationalisme minoritaire. Il y a aussi un nationalisme majoritaire, c'est-à-dire dont les projets identitaires et de mobilisation, ainsi que les intérêts, sont articulés largement par l'intermédiaire des institutions et organes d'État[7]. C'est celui que l'on peut associer aux politiques de *nation-building* mises en œuvre par l'État pour donner à ses citoyens une langue, une culture et une identité communes. Alors que les mouvements minoritaires se servent de la culture pour contester l'ordre établi[8], le nationalisme majoritaire s'en sert pour légitimer l'ordre étatique. La culture constitue dans les deux cas une ressource politique, à laquelle les mouvements nationaux recourent soit pour contester l'ordre établi, soit pour le légitimer[9].

---

7. Les remarques qui suivent sur le nationalisme majoritaire sont issues de discussions avec mes collègues du Groupe de recherche sur les sociétés plurinationales (Alain-G. Gagnon, André Lecours, Pierre Noreau, José Woehrling, François Rocher et James Tully).

8. Alain Dieckhoff, *La nation dans tous ses États. Les identités nationales en mouvement*, Paris, Flammarion, 2000.

9. En ce sens, la distinction entre nationalisme culturel et nationalisme politique demeure floue. Comparant la pensée de Herder et celle de Rousseau, généralement associées respectivement au nationalisme culturel et au nationalisme politique, Barnard, en conclut: 1) que l'objectif est

Le nationalisme majoritaire est occulté doublement, comme le souligne Alain Dieckhoff. D'une part, il est occulté par le fait que «le renforcement de l'allégeance à l'État est tenu pour l'expression d'un sentiment national légitime, le patriotisme, alors qu'à l'inverse, la contestation de l'État est invariablement disqualifiée comme manifestation d'une force régressive, le nationalisme. Par ce procédé rhétorique, la convergence réelle entre les deux formes concrètes de nationalisme est ainsi escamotée[10]». D'autre part, cette forme de nationalisme est occultée par le procédé consistant à présenter l'État comme le lieu de rapports égalitaires avec, et entre, les citoyens; ce qui ne répond pas nécessairement aux besoins nationaux minoritaires[11].

Il faut d'abord dire que la distinction entre nationalisme et patriotisme n'est pas si claire, comme l'ont notamment soulevé Charles Taylor et Margaret Canovan. Canovan rappelle ainsi que le patriote ne défend pas la liberté de n'importe qui, mais bien celle de ses compatriotes[12]. Le patriotisme n'est d'ailleurs pas aussi bénin que voudraient le faire croire certains de ses défenseurs, puisque l'accent mis sur la formation (délibérée) de citoyens patriotes peut donner cours à des pratiques qui ne soient pas libérales[13]. Il n'est d'ailleurs pas besoin de chercher dans des régimes autoritaires les

le même, soit de remplacer la force par la culture comme base du politique; 2) que tous les deux tentent d'envisager une culture politique qui légitimerait l'appartenance nationale et étatique; et 3) que par conséquent dans les deux cas on assiste en fait à une redescription du politique et à une «réévaluation radicale de ses bases de légitimité» (F.M. Barnard, «National Culture and Political Legitimacy: Herder and Rousseau», *Journal of the History of Ideas*, 44, 2, 1983, p. 250) (traduction de l'auteure). Il ajoute que si c'est le cas, «l'importance du "nationalisme culturel" réside non pas dans le fait qu'il soit apolitique ou non politique mais bien dans le fait qu'il attire l'attention sur un changement fondamental dans la source de la légitimation politique» (*Ibid.*) (traduction de l'auteure).

10. A. Dieckhoff, *La nation dans tous ses États, op. cit.*, p. 159.
11. *Ibid.*, p. 159-160.
12. M. Canovan, *Nationhood and Political Theory, op. cit.*, p. 89; voir aussi Charles Taylor, «Cross-Purposes: The Liberal-Communitarian Debate», dans Nancy L. Rosenblum (dir.), *Liberalism and the Moral Life*, Cambridge, Harvard University Press, 1989, p. 166, 167, 170 et 280, note 2.
13. M. Canovan, *Nationhood and Political Theory, op. cit.*, p. 93.

exemples de ces pratiques : non seulement nombre de pays aujour-d'hui définis comme des démocraties libérales ont-ils dans le passé utilisé des pratiques qui seraient aujourd'hui considérées comme inacceptables ; mais encore il peut survenir des occasions (pensons aux États-Unis de l'après 11 septembre 2001) où l'expression de la liberté de conscience (dans ce cas-ci l'opposition à la guerre contre l'Irak) peut être étiquetée comme antipatriotique. L'argument central des théoriciens qui suggèrent le patriotisme comme alternative au nationalisme est que « le patriotisme incarne la loyauté politique des citoyens à la communauté libre qui les rassemble, alors que le nationalisme est question d'ethnicité et de culture[14] ». Maurizio Viroli par exemple explique que la distinction cruciale entre patriotisme et nationalisme réside dans le fait que pour le patriotisme la valeur première est la république et la liberté qu'elle soutient, alors que pour le nationalisme la valeur fondamentale est l'unité spirituelle et culturelle du peuple, ce qui exige une loyauté inconditionnelle[15]. Le patriotisme serait donc plus compatible avec l'universalisme et plus tolérant de la diversité. Cependant, les termes que Viroli utilise pour justifier et défendre le patriotisme contribuent à rendre le débat confus ; par exemple, il affirme que « [p]our inciter nos compatriotes à s'engager envers la liberté commune de leur peuple, nous devons invoquer des sentiments de compassion et de solidarité qui, lorsqu'ils existent, sont enracinés dans des liens linguistiques, culturels et historiques[16] ».

L'attrait des versions plus récentes du patriotisme réside dans le fait qu'elles tentent de présenter la vision d'une communauté postnationale unie par une loyauté à la fois aux principes libéraux universels et à des engagements particuliers[17]. Or cette vision s'avère illusoire, dans la mesure où elle exige d'inculquer de toute façon un

---

14. Margaret Canovan, « Patriotism Is Not Enough », dans Catriona McKinnon et Iain Hampsher-Monk (dir.), *The Demands of Citizenship*, Londres/New York, Continuum, 2000, p. 278 (traduction de l'auteure).
15. Maurizio Viroli, *For Love of Country. An Essay on Patriotism and Nationalism*, Oxford, Clarendon Press, 1995, p. 2.
16. *Ibid.*, p. 10 (traduction de l'auteure).
17. M. Canovan, « Patriotism Is Not Enough », *op. cit.*, p. 281.

certain nombre de principes et de valeurs aux citoyens (ce qui ne prend pas nécessairement une forme libérale) ; où elle présume de la loyauté des citoyens à l'État ; où les exemples utilisés par les théoriciens du patriotisme constitutionnel ne sont pas nécessairement probants (on en appelle soit à l'Allemagne réunifiée, soit à la Suisse, soit aux États-Unis) ; et où en fait elle tient pour acquise l'existence de communautés politiques historiques, exagérant le contraste entre les liens prépolitiques et les relations politiques entre citoyens[18].

Le second aspect mentionné par Dieckhoff (celui voulant que la conception universalisante et abstraite soit bien adaptée aux besoins nationaux du groupe majoritaire) renvoie à ce que Kymlicka appelle le mythe de la neutralité ethnoculturelle, qui veut que l'État soit neutre par rapport aux caractéristiques culturelles de ses citoyens. Comme l'explique Kymlicka, ce mythe veut que l'État puisse être neutre par rapport à des caractéristiques particulières telles que la langue, l'histoire, la littérature, etc. Pour Michael Walzer par exemple, les États-Unis représentent l'exemple le plus net d'État libéral neutre, notamment parce qu'il n'y aurait pas de langue officielle[19]. Or cela est manifestement erroné, puisque presque toutes les démocraties libérales ont tenté de diffuser, à un degré ou un autre, la culture sociétale de la majorité, entreprise qui a comporté la répression de la diversité ethnoculturelle (et particulièrement des nations minoritaires) plutôt que la neutralité[20]. Les exemples s'avèrent nombreux : en

---

18. *Ibid.*, p. 281-287. Elle souligne par exemple que la version du nationalisme libéral qu'on trouve chez Miller et la conception virolienne du patriotisme sont pratiquement indifférenciables, d'autant plus que les nationalistes les plus nuancés reconnaissent que les nations sont le résultat contingent d'événements historiques et que le caractère naturel de la nation est en fait un mythe (*Ibid.*, p. 289).

19. Will Kymlicka, « Nation-Building and Minority Rights : Comparing West and East », *Journal of Ethnic and Migration Studies*, 26, 2, 2000, p. 185.

20. *Ibid.*, p. 185. « Par "culture sociétale", j'entends une culture concentrée sur un territoire, qui gravite autour d'une langue commune utilisée dans un large éventail d'institutions sociétales, à la fois dans la vie publique et privée (écoles, médias, droit, économie, gouvernement et ainsi de suite). Je la désigne comme culture *sociétale* pour insister sur le fait qu'elle comporte une langue commune et des institutions sociales, plutôt que

France, l'usage de certaines langues régionales (telles que le basque et le breton) a été interdit, notamment dans le système scolaire ; dans certaines régions les frontières ont été redéfinies pour placer les majorités locales en situation de minorités (par exemple, les hispaniques de Floride au XIXe siècle) ; dans de nombreux pays, les autorités ont encouragé une immigration massive dans les territoires historiques de certaines minorités (dans le Sud-Ouest des États-Unis ou au Tibet, par exemple)[21]. Il faut insister sur les conséquences particulièrement néfastes pour les groupes autochtones de l'incarnation du mythe de la neutralité dans les sociétés « du nouveau monde » (très certainement, en tout cas, pour ce qui est des États-Unis, du Canada et de l'Australie) ; elle s'y est doublée d'un sentiment de supériorité des valeurs européennes et du mépris de sociétés dotées de traditions et d'institutions politiques anciennes et différentes[22].

Ce mythe a aussi conduit à assumer qu'il y avait une distinction de nature 1) entre la forme occidentale du nationalisme et les autres formes, notamment est et centre-européennes[23], et 2) entre l'utilisation de la culture par l'État pour consolider l'ordre établi et son utilisation par les minorités pour le contester. Dans le cas de l'Autriche-Hongrie par exemple, l'Empire s'est désagrégé sous des pressions à la fois internes et externes ; mais l'attitude générale de l'Occident reposait entre autres sur le postulat que le modèle d'organisation du politique au XXe siècle se devait d'être l'État-nation démocratique libéral.

---

des valeurs religieuses, des coutumes familiales ou des styles de vie personnels communs » (*Ibid.*) (traduction de l'auteure). Bien que je sois critique du rôle que joue le concept de culture sociétale chez Kymlicka, le constat qu'il dresse ici à propos des tentatives de diffusion de la culture majoritaire est exact.

21. *Ibid.* ; W. Kymlicka et C. Straehle, « Cosmopolitanism, Nation-States, and Minority Nationalism », *op. cit.*

22. J. Tully explique par exemple comment Locke utilisa le contraste entre état de nature et sociétés politiques pour justifier l'appropriation par les Européens des terres américaines et les guerres contre les peuples autochtones (James Tully, *Strange Multiplicity. Constitutionalism in an Age of Diversity*, Cambridge, Cambridge University Press, 1995).

23. Voir par exemple W. Kymlicka, « Nation-Building and Minority Rights », *op. cit.*, p. 186-187.

Quant aux minorités, il fallait soit les assimiler, soit s'en débarrasser (d'où l'importance accordée aux transferts de populations qui ont suivi les deux conflits mondiaux)[24].

Mais y a-t-il réellement une distinction de nature entre les phénomènes nationalistes majoritaires et minoritaires? Bien entendu, le phénomène du nationalisme majoritaire peut prendre des formes plus ou moins coercitives, plus ou moins assimilatrices, plus ou moins tolérantes de la diversité culturelle et nationale. Il y a par exemple un contraste manifeste entre le modèle républicain français, fondé sur la combinaison d'une logique assimilationniste et d'une conception dite «inclusive» de la citoyenneté, d'une part, et les cas où un certain degré de pluralisme culturel est accepté comme trait du processus de *nation-building*[25]. Mais il s'agit bien, dans tous les cas, de *nationalisme*, dans la mesure où c'est le fait de faire de la nation un sujet politique qui caractérise le nationalisme. Dans la mesure où l'autodétermination fait partie intégrante du contenu normatif de la nationalité[26], le nationalisme majoritaire (ce que Kymlicka désigne comme le nationalisme étatique) et le nationalisme minoritaire procèdent en fait du même fondement normatif.

Il y a trois éléments qui structurent le rapport du nationalisme majoritaire à l'État et lui permettent de prétendre à une légitimité qu'il nie au nationalisme minoritaire: l'importance fondamentale de la nation comme source de légitimité dans la modernité politique,

---

24. Voir le chapitre 1.
25. Voir par exemple Mark Mitchell et Dave Russell, «Immigration, Citizenship and the Nation-State in the New Europe», dans B. Jenkins et S.A. Sofos (dir.), *Nation and Identity in Contemporary Europe, op. cit.*, p. 54-80.
26. M. Keating, *Plurinational Democracy, op. cit.* Les revendications nationales sont fondées sur l'argument que la nation s'est constituée historiquement comme communauté s'autodéterminant et que son peuple se voit comme nation et veut décider de son avenir comme collectivité (*Ibid.*, p. 2-4); «l'aspiration à l'autodétermination est précisément l'une des choses qui différencient la nationalité des autres formes de collectivité» (M. Keating, «Par-delà la souveraineté. La démocratie plurinationale dans un monde postsouverain», *op. cit.*, p. 83).

la conjonction historique de la nationalité et de la forme organisationnelle de l'État unifié sous le principe de territorialité, et les processus historiques de consolidation de l'État autour d'un groupe majoritaire. Si la question des minorités nationales est si délicate, c'est bien, comme le souligne Jackson Preece, parce que ces groupes possèdent la caractéristique qui constitue en principe le fondement normatif de l'indépendance politique dans le système moderne d'États-nations, c'est-à-dire le fait de constituer une nation[27]. Rappelons aussi que les politiques de consolidation de l'État peuvent être mises en œuvre aux dépens des minorités nationales sans qu'il y ait nécessairement violation des droits individuels au sens strict. J'ai ainsi déjà noté au chapitre premier qu'après la Deuxième Guerre mondiale s'installe une tendance lourde à associer protection des minorités et droits individuels. Walter Kemp souligne ainsi que « [l]a tendance, depuis la Deuxième Guerre mondiale, [...] est de se concentrer sur les droits humains individuels plutôt que sur l'autodétermination nationale [...] Cela ressort aussi clairement des instruments destinés spécifiquement aux minorités, tels que le document de Copenhague de l'OSCE et la convention-cadre pour la protection des minorités nationales du Conseil de l'Europe[28] ». De ce point de vue, il faut surtout chercher à intégrer les minorités à la vie étatique.

Bien que ce point de vue soit partagé par un certain nombre d'experts, il présente néanmoins trois difficultés. D'abord, bien que le régime international des droits humains soit sans contredit absolument fondamental et qu'il ne puisse être question de le remettre en cause, il y a tout lieu de se demander s'il constitue l'espace normatif approprié, ou le seul espace normatif approprié, pour traiter les revendications à l'autodétermination qui sont le propre des nations. On peut par exemple penser à un pluralisme axiologique tel que celui qui est défendu par Michel Seymour, qui

---

27. J. Jackson Preece, *National Minorities and the European Nation-States System*, *op. cit.*, p. 18. Voir le chapitre 1.
28. Walter Kemp, « The Politics of Culture : The Limits of National Cultural Autonomy », dans Ephraim Nimni (dir.), *National Cultural Autonomy and its Critics*, Londres, Routledge, 2004, p. 10 (traduction de l'auteure).

permet d'attribuer une valeur propre aux droits collectifs des minorités sans avoir à remettre en cause l'importance morale des droits individuels[29]. On n'a pas pour ce faire à adopter une ontologie collectiviste.

Deuxièmement, assimiler la protection des minorités nationales et culturelles à la protection des droits individuels conduit à négliger la spécificité des revendications nationales. Ces dernières se présentent comme des prétentions à des degrés variables d'autodétermination fondés sur un droit *inhérent*, une revendication *originaire*, du groupe à s'autodéterminer. C'est sur la base de ce droit inhérent que doivent être négociées et aménagées la reconnaissance et la participation du groupe à une entité ou association politique plus large ; les modalités de mise en œuvre de cette participation ne peuvent être conçues comme simple dévolution des pouvoirs par l'État central. (On pourrait s'en contenter pour des raisons stratégiques, mais elles n'incarneraient pas la reconnaissance du fondement même des revendications de ce groupe.) Précisons qu'il ne s'agit pas, pour la plupart de ces groupes, de chercher l'intégration (au sens strict) à une société majoritaire. Évidemment, les individus membres du groupe doivent jouir du statut de citoyen et des droits et bénéfices qui lui sont associés. Je pense ici par exemple au statut des Russes anciennement citoyens de l'Union des républiques socialistes soviétiques et qui résident dans les pays baltes. En Estonie, seuls les citoyens estoniens peuvent bénéficier du statut de minorité nationale[30]. On peut aussi penser aux Roms, pour qui il s'agit de réclamer à la fois l'accès à une pleine citoyenneté et des droits en tant que minorité. Mais les revendications de type nationalitaire ne se limitent pas à l'attribution de droits égaux liés au statut de citoyen. Les stratégies d'intégration au sens strict s'adressent essentiellement

---

29. Michel Seymour, « Rethinking Political Recognition », dans Alain-G. Gagnon, Montserrat Guibernau et François Rocher, *The Conditions of Diversity in Multinational Democracies*, Montréal, Institut de recherche en politiques publiques, 2003, p. 59-83.
30. Voir la Déclaration de 1997 sur la convention-cadre pour la protection des minorités nationales du Conseil de l'Europe.

aux groupes issus de l'immigration. Il faut aussi, comme le souligne Seymour, distinguer les minorités nationales des nations minoritaires. Les minorités nationales sont l'extension de nations contiguës ou d'une majorité nationale voisine (par exemple, les Anglo-Québécois), ce qui n'est pas le cas des nations minoritaires. Cette distinction a des conséquences sur le type de revendications qu'un groupe national peut présenter[31].

Troisièmement, une fois levé le voile sur le mythe de la neutralité ethnoculturelle des démocraties libérales, les iniquités imposées aux minorités nationales par le modèle de l'État-nation deviennent d'autant plus évidentes. Kymlicka considère que l'attitude envers les minorités a changé de manière significative au cours du XXe siècle, et que l'on a reconnu, dans les démocraties libérales, que tenter de supprimer le nationalisme minoritaire était une erreur, pour des raisons à la fois empiriques (ces tentatives ont souvent contribué à exacerber les conflits plutôt qu'à les atténuer) et normatives[32]. Il ne faudrait cependant pas surestimer la facilité avec laquelle des pays comme le Canada reconnaissent la possibilité pour les nations minoritaires de s'autogouverner. Bien que le fédéralisme multinational apparaisse effectivement comme une voie intéressante, à mon sens Kymlicka (comme d'autres) surestime les possibilités qu'il offre actuellement[33]. S'il est vrai qu'une fédération comme le Canada offre un degré enviable de stabilité et de prospérité, je serais curieuse de voir jusqu'à quel point la majorité se la représente comme une fédération *multinationale*. Kymlicka sous-estime également le poids du modèle de l'État dans le processus de *nation-building*. Neil MacCormick me semble avoir raison d'affirmer que «les problèmes

---

31. Michel Seymour, *La nation en question*, Montréal, L'Hexagone, 1999.
32. W. Kymlicka, «Nation-Building and Minority Rights», *op. cit.*
33. Il affirme par exemple: «Le nationalisme a déchiré les empires coloniaux et les dictatures communistes, et redéfinit les frontières sur toute la surface du globe. Et pourtant, les fédérations multinationales démocratiques ont réussi à en maîtriser la force. Le fédéralisme démocratique a domestiqué et pacifié le nationalisme, tout en respectant les droits et libertés individuels. Il est difficile de penser à un autre système politique qui pourrait en dire autant» (*Ibid.*, p. 190) (traduction de l'auteure).

identifiés au nationalisme dépendent plus de l'État et de l'étatisme que de la nation [...] Le principe d'autodétermination devient moralement et pratiquement problématique parce qu'il est (ou quand il est) associé au concept ou à la doctrine de l'État absolument souverain[34] ». Le modèle de l'État territorial souverain porte une part significative de responsabilité dans les excès attribués au nationalisme.

La question des identités politiques et du lien civique

Pour beaucoup de libéraux contemporains, la réponse à la question de la stabilité et de la légitimité des États multinationaux demeure fondamentalement axée sur la construction d'une identité civique globale, commune. Mais jusqu'où peut aller l'institutionnalisation des droits des nations minoritaires et minorités nationales, si l'on persiste à poser la question de la stabilité et de la cohésion dans l'État territorial souverain ? Je vais dans la section suivante évoquer un type de propositions qui se veut une alternative à la toute-puissance du principe territorial dans la modernité politique. Pour l'instant, je veux discuter une formulation récente de la thèse du lien civique, formulation qui exacerbe les difficultés du paradigme de l'État multi-national relativement à l'institutionnalisation de la reconnaissance des minorités nationales.

Cette thèse pourrait être formulée ainsi[35] : on peut élaborer un modèle d'État qui ne serait ni l'État-nation, ni l'État multinational, et qui exclurait tout élément culturel ou national étranger ou parallèle à la culture commune de l'arène publique. Dans un tel État, censé être fondé exclusivement sur le lien civique, « la seule forme

---

34. N. MacCormick, *Questioning Sovereignty, op. cit.*, p. 190 (traduction de l'auteure).

35. La formulation ici utilisée pour illustrer cette thèse est celle qui a été proposée par Nicole Gallant lors d'une table ronde organisée par le Centre interdisciplinaire de recherche sur la citoyenneté et la mondialisation (CIRCEM, Ottawa) en 2002. Il faut souligner que cette formulation est représentative d'un large courant de pensée dans le domaine de la citoyenneté.

d'appartenance qui a une pertinence politique légitime devrait être l'appartenance civique, tandis que les autres formes d'appartenance sont reléguées à la sphère privée ; les caractéristiques qui n'ont pas de pertinence morale sont écartées du monde politique, ou du moins n'y sont pas considérées comme déterminantes[36] ». Il serait par conséquent paradoxal de critiquer le modèle de l'État-*nation* en prétendant par ailleurs vouloir protéger les droits des minorités[37]. Nicole Gallant suggère d'une part que les formes d'appartenance ethnoculturelle doivent relever de la sphère privée et d'autre part que le partage d'une culture politique commune suffit « à maintenir le vouloir vivre ensemble nécessaire au bon fonctionnement de l'État[38] ». Fait intéressant, elle souligne que les valeurs communes sur lesquelles doit reposer l'État, bien qu'elles soient nécessairement culturellement situées, peuvent être interprétées comme étant plus politiques que culturelles[39]. Il suffit qu'il y ait une culture publique et une langue instrumentale assurant la communication entre les citoyens.

Ainsi formulée, la thèse semble bien moins nuancée que celle des tenants de l'État multinational. En réalité, elle ne fait qu'exacerber les contradictions de cette dernière[40], dans la mesure où les tenants du paradigme de l'État multinational postulent également la nécessité d'un lien civique global, ne remettent pas en cause la symétrie et la correspondance des espaces sociaux, politiques et culturels, et ne rendent pas pleinement compte du caractère *politique* des revendications des minorités. Les tenants du paradigme de l'État multinational reconnaissent cependant, ce que ne fait pas la thèse mentionnée, que la culture publique des démocraties libérales ne peut pas être neutre.

---

36. Nicole Gallant, « De l'incongruité de la reconnaissance d'une autodétermination politique des minorités ethnoculturelles dans le contexte d'une citoyenneté fondée sur le lien civique », Table ronde du CIRCEM, Ottawa, 2002, p. 23.
37. *Ibid.*
38. *Ibid.*, p. 14.
39. *Ibid.*, p. 15.
40. Elle est évidemment beaucoup plus près du modèle républicain assimilationniste.

La thèse ici utilisée pour illustrer l'argument sur le lien civique présente en fait deux difficultés qui lui sont propres, que je vais examiner successivement. La première difficulté est qu'elle suppose la présence de ce qu'on pourrait appeler une culture publique formelle, minimale, dans laquelle des biens institutionnels (participatoires), tels que la langue, acquièrent une valeur instrumentale afin de ne pas être assimilés à une culture spécifique. Les éléments culturels admissibles devraient ainsi être limités à ceux qui sont indissociables de l'appartenance civique : il s'agit de la langue et de certaines valeurs qui sont nécessaires au bon fonctionnement des institutions politiques communes[41]. Les appartenances ethnoculturelles sont admissibles pour autant qu'elles ne deviennent pas le lieu de développement d'une appartenance civique susceptible de concurrencer celle qui fonde l'identification (l'allégeance) à l'État. Celle-ci doit être la plus neutre possible, au même titre que l'État moderne est devenu graduellement neutre par rapport à la question de la confession religieuse des citoyens. Deux éléments méritent d'être soulignés à propos de cette première difficulté. D'abord, j'ai rappelé plus tôt que dans beaucoup d'États contemporains (y compris évidemment les démocraties libérales), certains éléments fondamentaux de la culture publique commune sont issus d'un processus de consolidation qui s'est accompli aux dépens des minorités, en fonction des intérêts et orientations de la culture majoritaire[42]. Ensuite, les biens participatoires ne sont souvent instrumentaux que du point de vue de la majorité.

Ce type de thèse est parfois construit (c'est le cas du texte utilisé pour l'illustrer ici) sur une analogie avec l'État laïc. De ce point de vue, défendre une appartenance exclusivement civique à l'État, tout en affirmant que certaines appartenances ethnoculturelles sont la

---

41. N. Gallant, « De l'incongruité », *op. cit.*, p. 7.

42. Évidemment les rapports entre majorité et minorités et les modalités institutionnelles de la rencontre des intérêts divergents, comme le modèle idéologique ayant prévalu à la construction de l'État, ont influencé les formes et le résultat de ce processus de consolidation. On pourrait par exemple distinguer de manière assez nette les modèles français et québécois, à cet égard.

source d'une solidarité qui fonderait un droit à l'autodétermination politique, revient à « reconnaître un pouvoir politique à un groupe religieux au sein de l'État laïc. La reconnaissance politique d'un groupe fondé sur le lien ethnoculturel dans un État civique ne me semble pas moins incongrue qu'un arrangement politique qui donne structurellement une voix particulière ou une forme d'autonomie gouvernementale à un groupe religieux dans un État laïc[43] ». Cet argument est aisément réfutable en soulignant, comme l'a fait Kymlicka, que l'on ne peut éviter de prendre des décisions telles que celles qui sont relatives à la langue des écoles, des tribunaux, des services publics, etc. (l'État ne peut pas être neutre culturellement). Le modèle de tolérance religieuse basé sur la séparation de l'Église et de l'État ne constitue pas nécessairement un modèle approprié pour faire face aux différences nationalitaires, et le recours aux droits individuels ne permet pas de résoudre les questions les plus contro-versées concernant les minorités culturelles.

La seconde difficulté sur laquelle je veux m'attarder est la suggestion de Gallant que l'on pourrait choisir de reporter les mesures de reconnaissance des minorités advenant le cas où elles s'avéreraient incompatibles avec la citoyenneté exclusivement civique (c'est-à-dire l'allégeance à l'État central). Gallant remarque (relati-vement au Québec et aux nations autochtones dans le cadre de la fédération canadienne) que des groupes ayant un degré d'institution-nalisation important et une culture sociétale (dans le sens que Kymlicka donne à cette notion) tendent à développer des allégeances civiques susceptibles de concurrencer le lien civique avec l'État consolidé[44]. Elle suggère qu'il serait peut-être préférable d'attendre d'avoir des études claires sur l'effet de l'agrégat potentiel des comportements individuels concernant l'alignement des apparte-nances ethnoculturelles et civiques avant d'adopter des mesures de

---

43. N. Gallant, « De l'incongruité », *op. cit.*, p. 23.
44. À la question de savoir « s'il est possible pour un même individu d'associer deux appartenances de type civique lorsque le siège de l'une d'elles est conjointement le siège d'une appartenance de type ethnoculturel », elle répond par la négative.

reconnaissance qui pourraient renforcer la capacité du sous-groupe de fonder un lien civique. Elle vise notamment ici, à titre de mesures de reconnaissance, l'autonomie gouvernementale, le fédéralisme asymétrique et la représentation particulière.

Or cet argument véhicule quatre postulats discutables. D'abord, cette approche postule que la cohésion de l'État consolidé a priorité sur les appartenances civiques concurrentes et justifie, dans l'éventualité où ces dernières la menacent, l'exclusion de mesures de reconnaissance politique. Elle postule ensuite, et conséquemment, que les demandes de reconnaissance doivent être évaluées du point de vue de leur impact sur l'État consolidé. Troisièmement, elle postule qu'accorder un droit à l'autodétermination à un groupe à l'intérieur de l'État revient à miner « de l'intérieur » la solidité du lien social. Enfin, elle accepte le postulat que la dé-ethnicisation des identités nationales est liée à la progression du critère territorial d'appartenance. Les premier, troisième et quatrième postulats sont manifestement enracinés dans le modèle conventionnel de l'État (national, souverain, territorialisé, débarrassé de corps intermédiaires ayant leur propre légitimité normative et de formules de partage de la souveraineté, et où l'on présume que les droits individuels sont suffisants pour assurer le respect de l'individu et sa capacité d'orienter sa vie en fonction de certaines convictions morales et de certains choix), un modèle dont j'ai déjà élaboré la critique. Quant au second, il apparaît contre-intuitif. Un public averti pourrait en effet dresser une liste de cas à propos desquels il semblerait raisonnable de considérer les demandes de reconnaissance comme justifiées indépendamment de leur impact sur l'État consolidé, admettant ainsi le caractère inhérent du droit à l'autodétermination qui détermine le contenu normatif de la nationalité[45]. Certains des individus de ce

---

45. Cela ne requiert pas d'attribuer une valeur morale au groupe comme entité distincte des individus qui le composent. L'objet des droits peut être collectif sans que le sujet le soit. Selon Daniel Weinstock, il est possible que certains intérêts individuels exigent qu'un groupe soit le titulaire de droits ne pouvant être réduits à des droits individuels et que la liberté individuelle exige que certains groupes se voient dotés des pouvoirs que

public pourraient n'y aller que d'une reconnaissance minimale, basée à la limite sur le discours des droits et qui ne justifierait l'autodétermination que dans des circonstances extrêmes (le cas du Timor oriental, par exemple). Je soupçonne cependant que beaucoup d'entre nous étendrions probablement la catégorie des demandes acceptables à celles qui visent l'obtention par des nations sans État et des minorités nationales de certains droits particuliers qui peuvent faire l'objet d'aménagements les rendant compatibles avec les principes libéraux essentiels. Certains iront plus loin, en donnant à la diversité culturelle elle-même une valeur instrumentale pour l'ensemble de l'espèce humaine[46]. Michel Seymour par exemple reconnaît un sujet collectif, analogue au sujet individuel et doté de représentations de soi, qui fonde l'attribution de droits. Il esquisse une justification des droits collectifs non sur le fondement de motifs liés à la protection des libertés individuelles (justification qui reposerait alors sur l'individualisme moral), mais bien par des arguments relatifs à la diversité culturelle. Il invoque la valeur instrumentale de la diversité pour l'espèce humaine, et défend l'idée que c'est cela qui permet de justifier l'importance de l'appartenance d'un individu à une culture particulière. Bien que cet argument soit solide et tout à fait apte à fonder les droits collectifs, je préfère insister sur le droit inhérent à l'autodétermination qui se trouve au fondement même de la nation. Il n'est pas certain en effet qu'il soit

confère un droit collectif; mais « la justification philosophique des droits collectifs, qu'ils soient actifs ou passifs, devra se faire de manière indirecte : il s'agira de faire valoir la nécessité, ou à tout le moins, la permissibilité des droits collectifs du point de vue d'individus » (Daniel Weinstock, « Doit-on recourir aux droits collectifs afin de protéger les minorités ? Quelques considérations sceptiques », dans José Woehrling (dir.), *La protection internationale des minorités linguistiques, Terminogramme,* 95-96, 2001, p. 20). On peut donc refuser d'avaliser une ontologie morale qui admettrait des entités collectives dont l'existence ne serait pas réductible à celle de leurs membres, tout en admettant l'existence d'agents juridiques collectifs au niveau de l'ontologie juridique.

46. Voir par exemple Michel Seymour, « Qui a peur des droits collectifs ? », dans J. Woehrling (dir.), *La protection internationale des minorités linguistiques, op. cit.,* p. 37-60.

nécessaire de reconnaître un sujet collectif analogue au sujet individuel, à cause de la nature de la nation : elle est d'abord un espace public qui lie culture et politique, et ne se définit pas par des similarités que partageraient tous les individus membres, mais bien par quelque chose qui se situe en dehors d'eux-mêmes et qui se redéfinit constamment par le dialogue et les rapports sociaux.

Principe territorial, principe de personnalité et protection des minorités nationales

La territorialisation des communautés politiques caractéristique de la modernité apparaît à plusieurs égards comme étant un critère plus inclusif d'appartenance. Cependant, l'idéal de la souveraineté territoriale, le fait que le discours des droits individuels soit, à l'origine, intimement lié au modèle de l'État territorialement souverain et la conjonction du principe de nationalité avec l'idéal de souveraineté territoriale imposent de ne pas négliger la possibilité d'utiliser d'autres principes ou modèles d'autonomie gouvernementale. Le poids du principe territorial et de l'idéal de souveraineté territoriale, ainsi que le postulat longtemps véhiculé que le modèle de l'État-nation constituait une forme achevée d'organisation du politique (surtout lorsqu'elle se double de la prétendue neutralité culturelle-nationale) ont en effet eu comme conséquence la négligence de solutions alternatives à l'organisation des rapports entre nations, notamment les solutions axées sur l'autonomie personnelle.

Il peut paraître curieux d'invoquer ici le modèle de l'autonomie personnelle, mis de l'avant vers la fin du XIXᵉ siècle dans le contexte d'un empire et sur la base de l'analogie avec la coexistence de différentes confessions religieuses dans une même entité politique. L'intérêt de rappeler l'existence de ce modèle vient du fait qu'il participe d'une perspective différente qui remet en cause la manière dont s'est incarné l'idéal de la souveraineté territoriale dans le modèle de l'État-nation. Je ne veux pas insister ici sur les détails du modèle lui-même ; je l'ai décrit ailleurs[47]. Je veux tout de même rappeler qu'il a été éla-

---

47. Geneviève Nootens, « Territorialité, extraterritorialité, transnationalité :

boré notamment par Karl Renner, un des politiciens socialistes autrichiens les plus importants de la première moitié du XXᵉ siècle[48].

Pour résumer très brièvement, dans ce modèle le principe de nationalité n'est pas vu comme un principe de création des États selon la formulation classique qu'on lui donne (qui veut que toute nation ait droit à son État souverain), mais plutôt comme un principe d'organisation interne de l'État multinational[49]. Renner pose le droit à l'autodétermination comme un droit exclusivement individuel, qui constitue lui-même le principe de la nation comme institution juridique. Le droit à l'autodétermination nationale est conçu comme un droit de l'individu à l'autodétermination, et à partir de ce droit la nation est constituée en corporation de droit public dont les compétences sont protégées juridiquement. La nation devient alors un corps juridique intermédiaire, doté de pouvoirs, et l'État se constitue comme union de nations[50]. Ce modèle ouvre la porte à deux manières de spécifier (de déterminer) les communautés : les situations où les communautés nationales sont relativement bien spécifiées sur des territoires individualisés ; et les situations où, au contraire, les communautés nationales sont inextricablement mêlées sur un même

---

une défense de l'autonomie personnelle est-elle encore possible ? », dans Stéphane Courtois (dir.), *Enjeux philosophiques de la guerre, de la paix et du terrorisme*, Presses de l'Université Laval, coll. « Mercure du Nord », 2003, p. 177-190.

48. Il fut chancelier de la République en 1919, puis en 1945, et il en fut le président de 1945 jusqu'à sa mort en 1950. Il dirigea la délégation autrichienne à Saint-Germain, et dut (ironiquement) assumer la responsabilité d'édifier l'Autriche comme État national. Attaché à la recherche de la coexistence pacifique entre les peuples (mais pas à l'abri des contradictions), il dénonça notamment dans un ouvrage de 1937 (*La nation, mythe et réalité*) les excès d'un certain nationalisme et insista sur l'importance de créer la paix mondiale par la libre fédération des nations, ainsi que de recouvrir la terre « d'une précieuse mosaïque, caractérisée par un genre et un esprit humain infiniment bigarrés ».

49. S. Pierré-Caps, « Karl Renner », *op. cit.*, p. 433.

50. Bauer souligne à cet égard que l'analogie avec les rapports entre les confessions religieuses et l'État n'est par conséquent qu'imparfaite, car autrement l'argument ne permet pas de fonder la participation des nations à l'administration publique.

territoire. Le fédéralisme territorial n'est pas exclu *a priori*; cependant, lorsque les nations sont inextricablement mêlées sur un territoire, elles doivent se constituer comme communautés personnelles, sans disposer d'une hégémonie exclusive sur une région déterminée[51].

Renner considérait que le modèle politique et juridique de l'État-nation rendait impossible l'élaboration d'un cadre juridique équitable des minorités. C'est pourquoi lui et Otto Bauer suggérèrent d'introduire le principe de personnalité, dans un modèle qui combine le fédéralisme personnel et territorial (dans la tradition, il faut le préciser, du fédéralisme administratif plutôt que législatif). Ils ont donc remis en question la conception classique de la souveraineté comme une et indivisible, dont le support fonctionnel est le territoire, inversant de ce fait la perspective libérale sur le rapport de l'État aux minorités nationales. Renner fait de l'État et de la nation deux formes politiques distinctes, et élabore un cadre constitutionnel d'interaction entre ces deux formes; « mais alors que le constitutionnalisme libéral moderne part de l'idée de l'État-nation et évalue sur cette base les droits des minorités ethno-nationales, Renner part de l'idée qu'un État territorial peut inclure un certain nombre de nations, chacune étant dotée de son propre statut constitutionnel et de ses propres fonctions administratives[52] ». La nation est ici une entité souveraine

---

51. Voir notamment : Karl Renner, *State and Nation,* 1899 (essi dont la traduction en anglais paraîtra chez Routledge en 2004) ; Claudie Weill, *L'Internationale et l'Autre. Les relations interethniques dans la IIe Internationale,* Paris, Arcantère, 1987 ; John Coakley, « Approaches to the Resolution of Ethnic Conflict : The Strategy of Non-Territorial Autonomy », *International Political Science Review,* 15, 3, 1994, p. 297-314 ; Georges Haupt, Michael Lowy et Claudie Weill, *Les marxistes et la question nationale, 1848-1914,* Montréal, L'Étincelle, 1974 ; Bill Bowring, « Karl Renner's Influence on the "National Question" in Russia : National Cultural Autonomy for Jews, Muslims and Tatars in the Russian Empire, in Revolutionary Russia and in the Present Day », dans E. Nimni (dir.), *National Cultural Autonomy, op. cit.* ; Paul Patton, « Non-Territorial National Autonomy and the Problem of Aboriginal Sovereignty », dans E. Nimni (dir.), *National Cultural Autonomy, op. cit.* Renner attribue un rôle fondamental au droit comme moyen de pacifier les conflits.

52. P. Patton, « Non-Territorial National Autonomy », *op. cit.,* p. 1 (traduction de l'auteure).

mais non territoriale, contrairement à l'État, doté de la souveraineté territoriale[53]. Pour les nations territorialement concentrées, l'autonomie territoriale peut être préférable et l'autonomie personnelle ne peut pas être un substitut. Mais pour certaines minorités nationales et pour les minorités dispersées, qui ne sont qu'en partie territorialement concentrées (ou pas du tout, comme dans le cas des Roms[54]) et demandent néanmoins un certain degré d'autonomie, l'autonomie personnelle pourrait constituer une solution intéressante.

Il y eut des initiatives de ce type avant 1918 dans l'empire austro-hongrois et dans l'entre-deux-guerres dans les pays baltes. L'expérience la plus importante de cette période fut sans doute la loi estonienne d'autonomie culturelle de 1925. Cette loi permettait à tout groupe ethnique d'au moins 3 000 personnes de se constituer comme groupe doté d'une identité légale et apte à élire un conseil culturel assurant le contrôle de certaines fonctions relatives entre autres à l'éducation, la culture, les théâtres et musées, et autorisé à taxer les membres du groupe à cette fin. Les Allemands et les Juifs, alors les deux principales minorités non territoriales d'Estonie, s'en sont prévalus[55]. La loi spécifiait que dans les régions où la population

---

53. *Ibid.*

54. Ilona Klimova suggère que le modèle développé par Renner pourrait être particulièrement pertinent pour les Roms, pour quatre raisons : 1) les élites Roms transétatiques se font de plus en plus la voix de demandes d'autodétermination ; 2) puisqu'ils sont dispersés, les Roms peuvent difficilement revendiquer l'autonomie territoriale ; 3) aucun des modèles et principes développés par les théoriciens libéraux occidentaux ne peut être utile dans leur cas ; et 4) le modèle développé par Renner s'adresse précisément aux membres de groupes nationaux marginalisés (Ilona Klimova, « Prospects for Romani National-Cultural Autonomy », dans E. Nimni (dir.), *National Cultural Autonomy, op. cit.*, p. 1). En Hongrie, les structures mises sur pied par les Roms en vertu de la loi sur l'autonomie nationale-culturelle sont uniquement *consultées* sur les questions d'éducation, de culture et de médias locaux. Le gouvernement hongrois négocie avec une seule organisation, le *National Gypsy Self-Government*. Et les élections des gouvernements des minorités à l'échelle locale sont basées sur le suffrage universel, permettant la participation de non-Roms aux élections.

55. J. Coakley, « Approaches to the Resolution of Ethnic Conflict », *op. cit.*, p. 307.

d'origine estonienne se trouvait en situation de minorité, elle pouvait elle aussi demander à s'organiser sur la base de cette loi[56].

Le régime d'autonomie personnelle en tant que mode de protection des droits des minorités a été discrédité pour un certain nombre de raisons, la plupart indépendantes des mesures de protection elles-mêmes. En Estonie par exemple, c'est l'avènement d'un régime autoritaire qui a mis fin à l'expérience. La montée du fascisme, l'échec de la Société des Nations et l'association de son système de protection des minorités (relié aux Traités de paix) à un certain nombre de troubles politiques (dans le cas des minorités allemandes notamment)[57], la Deuxième Guerre mondiale, l'association du principe de personnalité des lois à des régimes comme celui de l'apartheid en Afrique du Sud, ont contribué à discréditer un principe qui pourtant pourrait contribuer dans certains cas à faciliter la coexistence parce qu'il permet d'accorder un degré appréciable d'autonomie à des groupes nationaux sans exiger que ces mesures soient associées à la règle majoritaire sur un territoire.

---

56. Le modèle avait également trouvé une audience intéressée au niveau du *Bund*, dont les dirigeants tentèrent d'appliquer les idées de Renner à la situation des Juifs d'Europe centrale et orientale. Le parti constitutionnel démocrate de Russie avait aussi démontré de l'intérêt pour le modèle, le voyant comme moyen de résoudre les questions nationales en Russie (programme de 1917). Les Mencheviks y voyaient une solution intéressante pour les minorités dispersées. Le modèle a aussi été préconisé par les musulmans de Russie, ainsi qu'en Ukraine pour les minorités russe, juive et polonaise. Voir B. Bowring, « Karl Renner's Influence », *op. cit.*

57. Comme l'explique Macartney, les États soumis aux dispositions de protection des minorités nationales par le système des Traités tendaient à prétendre que les Traités encourageaient l'irrédentisme. Or, selon Macartney, si la question des minorités nationales constituait en effet une menace à la paix, ce n'était pas la faute du système lui-même, mais bien parce que ses principes n'étaient pas appliqués correctement. Macartney fait également porter le blâme aux membres « neutres » du Conseil, qui auraient dû veiller à une application impartiale du système, mais se montrèrent plutôt passifs. Voir C.A. Macartney, *National States and National Minorities*, *op. cit.*, p. 375-376.

Récemment, les experts ayant travaillé aux *Recommandations de Lund*[58] ont souligné que l'on devrait accorder plus d'attention à ce type de mesures. John Packer note qu'en ce qui concerne l'autonomie gouvernementale, ces experts ont considéré en priorité les mécanismes non territoriaux, afin d'attirer l'attention sur les possibilités qu'offrent les régimes d'autonomie personnelle, plus favorables au maintien de l'intégrité territoriale de l'État[59]. Les *Recommandations* sont fondées sur la double logique de la bonne gouvernance (le gouvernement doit refléter la volonté du peuple) et du principe de subsidiarité. Or, « [d]ans la mesure où les individus peuvent en subir les effets sur une base à la fois géographique et non géographique, la prise de décision peut être structurée selon des alignements à la fois territoriaux et non territoriaux[60] ». Les minorités devraient ainsi exercer un contrôle significatif sur les décisions qui les concernent particulièrement ; et en ce qui concerne l'État, le principe de subsidiarité exige que les minorités aient leur mot à dire, ce qui peut signifier des modalités électorales ou des mécanismes consultatifs particuliers pour les minorités[61].

En Europe centrale et orientale, des initiatives de ce type ont vu le jour, ces dernières années. Pensons par exemple au système russe d'autonomie nationale-culturelle[62] ou au système hongrois de

---

58. Les *Recommandations de Lund* ont été élaborées à la demande du Haut Commissaire aux minorités nationales de l'Organisation pour la sécurité et la coopération en Europe (OSCE). Elles ont suivi les *Recommandations de La Haye concernant les droits des minorités nationales à l'éducation* et les *Recommandations d'Oslo concernant les droits linguistiques des minorités nationales*. Les *Recommandations de Lund* visent à assurer la participation des minorités nationales à la prise de décision politique, dans une optique axée sur les processus de prise de décision. Voir John Packer, « The Origin and Nature of the Lund Recommendations on the Effective Participation of National Minorities in Public Life », *Helsinki Monitor*, 4, 2000, p. 29-61.

59. *Ibid.*, p. 40.

60. *Ibid.*, p. 38 (traduction de l'auteure).

61. *Ibid.*, p. 39.

62. Il faut consulter à cet égard les excellents travaux de B. Bowring. La Russie s'est dotée d'une loi fédérale sur l'autonomie nationale-culturelle en juin 1996. Selon Bowring, 7 groupes s'en sont prévalus à l'échelle fédérale, 73 au niveau régional et 175 au niveau local. Les plus actifs sont les Tatars, les

protection des minorités[63]. Bien que n'étant pas inspirée par le modèle centre-européen, l'entente de principe survenue entre les négociateurs des gouvernements du Québec et du Canada et de quatre communautés innues pourrait être en partie interprétée dans cette perspective : elle contient en effet des éléments d'autonomie personnelle et évite de faire de la possession du territoire un jeu à somme nulle, ce qui devrait contribuer à atténuer les conflits potentiels entre autochtones et utilisateurs allochtones du territoire[64].

Le modèle d'autonomie personnelle (aussi appelée autonomie nationale-culturelle) n'est évidemment pas une panacée. Il présente quatre difficultés importantes, que je ne peux ici que mentionner brièvement[65]. Premièrement, on ne peut pas soutenir à l'époque actuelle une vision de la société comme étant composée de groupes nationaux hermétiques, qui ne font que coexister les uns avec les autres. La notion de l'État plurinational développée par Keating apparaît beaucoup plus appropriée que le modèle de l'État des nationalités des austro-marxistes. Le plurinationalisme fait référence à

Juifs et les Allemands. Bowring relève quatre principaux problèmes relatifs au fonctionnement des conseils d'autonomie nationale-culturelle en Russie : l'absence d'indépendance financière (ils n'ont pas de pouvoir de taxation), le fait qu'il apparaisse peu utile de s'enregistrer comme membre, le fait que les dirigeants aient peu de liens avec leurs constituants et l'exigence de citoyenneté. Voir B. Bowring, « Karl Renner's Influence », *op. cit.*, ainsi que « Austro-Marxism's Last Laugh ? The Struggle for Recognition of National-Cultural Autonomy for Rossians and Russians », *Europe-Asia Studies*, 54, 2, 2002, p. 229-250.

63. Voir notamment à ce sujet Andrea Krizsán, « The Hungarian Minority Protection System : A Flexible Approach to the Adjudication of Ethnic Claims », *Journal of Ethnic and Migration Studies*, 26, 2, 2000, p. 247-262.

64. *Entente de principe d'ordre général entre les Premières nations de Mamuitun et de Nutashkuan et le gouvernement du Québec et le gouvernement du Canada.*

65. Pour une discussion de ces difficultés voir Geneviève Nootens, « Nations, States, and the Sovereign Territorial Ideal », dans E. Nimni (dir.), *National Cultural Autonomy, op. cit.* ; et « Lien civique et minorités nationales », inédit, 2003.

la coexistence, dans un ordre politique, de plus d'une identité nationale, avec tous les arguments normatifs et toutes les conséquences que cela entraîne. Le plurinationalisme est plus que le multinationalisme, qui dénote la coexistence de groupes nationaux distincts et séparés dans une entité politique *(polity)*. Dans le plurinationalisme, plus d'une identité nationale peut caractériser un groupe ou même un individu, ouvrant la possibilité de nationalités multiples qui à leur tour peuvent s'emboîter ou se recouper de manière plus floue. La signification même de la nationalité peut ici varier selon le groupe ou l'individu, et être plus ou moins dotée d'un contenu politique[66].

Deuxièmement, le modèle de l'autonomie personnelle est à la fois très individualiste (le droit à l'autodétermination y est exercé par l'individu et se fonde sur une décision individuelle extra-territoriale) et très contraignant, puisqu'il requiert une forme d'enregistrement officiel des minorités. Un tel enregistrement est nécessaire pour assurer la légitimité des structures d'autonomie et les services qui y sont reliés, notamment au niveau de l'éducation, ainsi que pour établir qui paiera les taxes que peut prélever la nation comme corporation de droit public. Or cela est problématique pour les individus qui s'identifient à plusieurs groupes ou encore pour les personnes qui, pour toutes sortes de raisons, refusent de déclarer une identité[67]. Troisièmement, le modèle d'autonomie personnelle ne permet pas nécessairement d'éviter la minorisation. La minorisation provient en effet, comme l'a souligné Couture, à la fois de la difficulté de délimiter une sphère publique culturellement neutre (ce qui est à toutes fins utiles impossible) et de la combinaison des processus démocratiques (la règle de la majorité) avec la présence de nations dans un État (combinaison qui tend à associer minorité numérique à l'échelle étatique et minorités nationales)[68]. Enfin, certains soutiennent qu'un régime d'autonomie territoriale contraint les minorités qui constituent une majorité régionale à avoir une attitude plus inclusive à

---

66. M. Keating, *Plurinational Democracy, op. cit.*, p. 26-27 (traduction de l'auteure).

67. A. Krizsán, « The Hungarian Minority Protection System », *op. cit.*

68. Jocelyne Couture, « Commentaire », dans S. Courtois (dir.), *Enjeux philosophiques de la guerre, de la paix et du terrorisme, op. cit.*, p. 311.

l'égard de leurs minorités, et qu'un régime d'autonomie personnelle conduirait à des attitudes moins inclusives de la part des minorités qui constituent des majorités régionales ou provinciales[69].

Toute résolution de ces questions appelle probablement une solution mixte. L'autonomie personnelle est intéressante dans la mesure où elle tente de répondre au fait que l'idéal de la souveraineté territoriale bloque à certains égards la réalisation de mesures de reconnaissance qui s'insèrent dans un cadre équitable de droits des minorités. Elle va dans le sens de l'idée qu'il faut remettre en cause la conjonction de l'État, de la nation, de la souveraineté et du territoire. Si l'autonomie gouvernementale requiert une certaine base territoriale, on peut cependant très certainement conclure que l'ordre territorial actuel est très loin d'épuiser toutes les possibilités d'organisation des communautés politiques. Dans le contexte actuel, alors que semblent apparaître de véritables possibilités d'organisation politique transétatique, nuancer le principe de territorialité comme support fonctionnel de la souveraineté permettrait de donner voix à d'autres espaces que celui de l'État et de renforcer les pratiques de coopération ainsi que la démocratie[70]. Keating suggère, dans cette optique, que « [s]i les individus ont véritablement des identités nationales plurielles, alors nous pouvons espérer construire des unités politiques étayées par le sentiment national à différents niveaux, plutôt que de chercher à réserver le concept de nationalité pour un seul. Toute entité politique que nous pouvons imaginer présentera des majorités et des minorités nationales, mais les minorités seront capables de constituer une majorité à un niveau supérieur ou inférieur[71] ».

---

69. C'est le cas notamment de Rainer Bauböck (Rainer Bauböck, « Territorial or Cultural Autonomy for National Minorities ? », dans Alain Dieckhoff (dir.), *Nationalism, Liberalism and Pluralism*, Lanham, Lexington Books, 2002, p. 9). De son point de vue, un régime d'autonomie territoriale assure aussi une imputabilité envers l'État central quant à la manière dont sont traitées les minorités.

70. Évidemment, la mise en œuvre d'un tel régime multiscalaire n'est pas simple. La question du contrôle des ressources économiques constitue notamment un enjeu important, comme le rappelle Keating.

71. M. Keating, *Plurinational Democracy, op. cit.*, p. 20 (traduction de l'auteure).

L'autorité politique et les capacités fonctionnelles demeureront certainement ancrées, à un degré ou un autre, dans des territoires ; et comme le souligne Keating, le territoire demeure central dans le phénomène du nationalisme, « à cause de son importance symbolique, parce que le contrôle de l'espace occupe une fonction cruciale dans l'autonomie gouvernementale et parce que le critère territorial demeure l'une des manières les plus inclusives de définir un peuple[72] ». Mais il faut aussi être conscient, d'abord, qu'il existe tout un éventail de possibilités entre une solution purement territoriale et une solution purement personnelle[73] ; ensuite, qu'introduire une dose de personnalité peut permettre d'atténuer les conséquences de l'organisation territoriale pour les nations minoritaires ; enfin, que le territoire peut être perçu de différentes manières – et habité selon des modalités variables – par les différentes nations qui l'occupent, pour autant que ces perceptions et modalités ne soient pas mutuellement exclusives[74].

L'idéal de souveraineté territoriale complique considérablement l'organisation des rapports entre majorité et minorités nationales, en plus de constituer un formidable obstacle à l'élaboration d'un régime international de protection des minorités nationales qui rendrait compte du caractère inhérent du droit à l'autodétermination, ne fût-ce que sur le plan interne[75]. C'est pourquoi ce chapitre s'est intéressé aux rapports du nationalisme majoritaire avec l'État, aux lacunes de la thèse du lien civique englobant et à un modèle alternatif qui, bien qu'il ne puisse résoudre toutes les questions de la coexistence des

---

72. *Ibid.*, p. 161 (traduction de l'auteure).
73. J. Coakley, « Approaches to the Resolution of Ethnic Conflicts », *op. cit.*, p. 311.
74. Un territoire « peut être partagé par plus d'une nation, à la fois symboliquement et substantiellement » (M. Keating, *Plurinational Democracy*, *op. cit.*, p. 162) (traduction de l'auteure).
75. En ce qui concerne la distinction entre le droit à l'autodétermination interne et externe, il faut notamment retourner à la distinction entre les types de groupes nationaux que j'ai évoquée plus haut. Par exemple, les minorités nationales ne pourraient pas revendiquer le même degré d'autonomie que les nations minoritaires.

nationalités dans l'État, propose d'autres modalités d'organisation de cette coexistence et suggère que le problème réside moins dans le nationalisme que dans le modèle de l'État territorial souverain. L'institutionnalisation du droit inhérent des nations à s'autodéterminer, bien qu'elle requière une certaine base territoriale, peut ne pas procéder uniquement sur la base du principe territorial, ni uniquement dans l'optique de l'épistémologie territorialiste associée au modèle organisationnel de l'État unifié. De ce point de vue, elle s'inscrit parfaitement dans la perspective d'une démocratie multiscalaire.

Les difficultés pratiques d'élaboration d'un système multiscalaire sont loin d'être seules en cause, ici. Le poids de l'idéal de souveraineté territoriale est tout autant responsable de nos difficultés à penser des modèles alternatifs. Ce poids, rappelons-le, s'est constamment accru depuis les Traités de Westphalie, au point d'écarter *a priori* toute autre possibilité et de modeler les transformations subséquentes du système d'États. Mais si les raisons invoquées ici pour relativiser le poids du modèle de l'État, dénouer les catégories normatives et conceptuelles qui lui sont consubstantielles, et l'imbriquer dans un cadre multiscalaire sont fondées, il est tout à fait possible de penser un schème où la démocratie s'incarne à différentes échelles et qui inclue une version des droits collectifs. La fin de l'État souverain est l'occasion parfaite « pour repenser les problèmes d'identité nationale […] La mort de la souveraineté au sens classique ouvre de véritables occasions pour la subsidiarité et la démocratie comme compléments essentiels. Elle suggère l'hostilité radicale à toute démocratie monolithique[76] ». C'est bien dans cette optique que se situe l'argument développé tout au long de ce livre.

---

76. N. MacCormick, *Questioning Sovereignty, op. cit.*, p. 135 (traduction de l'auteure).

Conclusion

Démocratie et souveraineté :
un rapport à redéfinir

L'État moderne a été décrit depuis Hobbes comme la seule réponse possible à l'anarchie des relations entre individus[1]. Le contexte de cette conceptualisation est, à l'époque de Hobbes, celui des guerres de religion des XVIe et XVIIe siècles, au cours desquels la société civile apparaît déchirée par des conflits qui la rendent incapable de s'organiser et de se pacifier sans l'intervention d'un pouvoir central fort, territorialement délimité et qui monopolise aussi bien l'usage légitime de la violence que l'allégeance des sujets. Cela permet à l'État de soutenir ses prétentions à monopoliser la violence et à concentrer la souveraineté, ainsi que de se présenter comme un pouvoir neutre[2]. Il apparaît dans ce contexte comme une absolue nécessité qu'une autorité centrale impose l'ordre à une société divisée. C'est l'État qui à cette fin monopolise et exerce le pouvoir, dans un cadre normatif unitaire. Par exemple, on voit disparaître graduellement les anciennes traditions de partage de la souveraineté avec des corporations, au profit d'une relation constitutionnelle directe entre l'individu et l'État qui comporte notamment la spécification d'une sphère de droits individuels que les autres personnes, aussi bien que les pouvoirs publics, doivent respecter.

Les principales notions par lesquelles nous conceptualisons le politique sont étroitement imbriquées dans l'émergence et la

---

1. N. MacCormick, *Questioning Sovereignty, op. cit.*
2. Cette origine de la tolérance, devenue paradigmatique pour le libéralisme contemporain, explique pourquoi les libéraux ont eu beaucoup de mal à aborder le pluralisme culturel dès lors qu'il dépasse les débats religieux entre chrétiens.

consolidation de cette forme organisationnelle. Elles lui sont en fait, du moins dans la compréhension que nous en avons, consubstantielles. C'est aussi dans ce cadre que s'est élaborée la forme contemporaine de la démocratie et que se sont développées les principales théories de la démocratie et de la citoyenneté. La démocratie s'institutionnalise sur la base d'une citoyenneté qui correspond à une définition spatialement exclusive de l'identité politique ; elle y est le fait de l'appartenance à un espace juridique commun, délimité par des frontières et caractérisé par la souveraineté interne et externe de l'État. La citoyenneté (éventuellement démocratique) incarne la relation de l'individu à l'État territorialisé souverain.

J'ai expliqué ici qu'il y avait des raisons de deux ordres pour remettre en cause ce modèle. D'une part, il véhicule des restrictions sérieuses sur le plan de la légitimité des formes de l'action politique démocratique (celle-ci est fonction d'une forme précise et exclusive de juridiction territoriale), des obligations politiques et de la justice globale, et finalement de l'organisation de la coexistence entre minorités et majorités nationales : l'idéal de souveraineté territoriale restreint l'exercice de la démocratie, établit une hiérarchie difficilement justifiable sur le plan des principales obligations éthiques et limite les possibilités de reconnaissance des nations sans État. C'est pourquoi même des modèles aussi raffinés que le paradigme de l'État multinational n'arrivent pas à faire face aux défis les plus importants qui se posent à la théorie politique à l'heure actuelle. D'autre part, les processus associés à la mondialisation contribuent à la fragmentation du modèle de l'État, soulignant avec acuité certaines des difficultés que rencontre ce mode d'organisation du politique, particulièrement sous l'angle de la souveraineté et de la présumée coïncidence d'un certain nombre d'espaces et d'institutions (espaces fonctionnels, institutions de gouvernement, espace privilégié d'identification, etc.) dans l'État.

Il y a deux manières de réagir à cette situation. Soit l'on considère que le modèle de l'État-nation démocratique libéral constitue effectivement le modèle qu'il faut chercher à réaliser, notamment parce qu'il représenterait la principale manière à l'heure actuelle de réaliser effectivement la démocratie libérale, et que celle-ci ne peut s'incarner à d'autres niveaux que sous une forme éthérée, sans pouvoir compter sur la solidarité citoyenne, dépendante d'une identité nationale commune. Soit l'on assume que le modèle est inadéquat, pour des raisons à la fois empiriques et normatives. C'est la position que j'ai défendue ici. Et c'est très précisément au niveau des exigences de la justice et de la démocratie, me semble-t-il, que se rencontrent les raisons empiriques et normatives de dépasser le modèle de l'État moderne. Le cœur des difficultés que connaissent les tentatives de réarticuler le politique à l'heure actuelle se situe au niveau de la triade composée de la démocratie, de la souveraineté et des obligations politiques.

L'un des postulats de mon argument est qu'il est fondamental de mettre en perspective le modèle de l'État afin de porter un autre regard sur le politique à notre époque. Cela ne signifie pas, comme je l'ai spécifié, que l'on pense que l'État est menacé de mort imminente, ni d'être aveugle au fait qu'il continue de jouer un rôle fondamental à la fois dans la vie internationale et dans la vie quotidienne des individus ; sa présence même influence l'avenir des institutions globales. Mais je crois que pour faire face aux défis qui nous attendent, il faut avoir une conscience aiguë de la contingence de ce modèle et de ses limites intrinsèques, notamment en ce qui concerne la démocratie et les obligations que nous avons envers l'ensemble de l'espèce humaine. Il est fort intéressant, pour situer la contingence du modèle, de suivre l'exercice que propose Charles Tilly en essayant d'esquisser ce qui pouvait apparaître, au XIIIe siècle, comme les formes futures d'organisation du politique. Si nous avions vécu à cette époque et avions essayé de discerner, parmi les possibilités, laquelle s'avérait la plus probable quant à l'évolution ultérieure des sociétés ouest-européennes, peu d'entre nous auraient penché pour l'État tel que nous le connaissons ; l'empire, une certaine forme de théocratie ou encore la persistance d'une société fragmentée seraient apparus comme des trajectoires plus plausibles.

Si nous nous situons à un point tournant, il est évidemment fort difficile pour nous de nommer les nouvelles formes du politique, et impossible de prédire avec précision le cours que suivra l'évolution de ces formes. Cependant cela n'empêche absolument pas de porter un regard normatif sur les défis que pose le contexte actuel et de suggérer des formes plus appropriées que d'autres à la réalisation des idéaux de justice et de démocratie. J'ai suggéré ici la pertinence de penser un modèle multiscalaire de démocratie, où l'État serait imbriqué dans un système plus vaste de gouvernance, ne constituant qu'un niveau parmi d'autres. Non seulement cela est-il justifiable sur le plan normatif, c'est aussi possible, sur le plan empirique, bien qu'évidemment cela exige des manières beaucoup plus complexes d'organiser le politique et la démocratie. Le modèle auquel je pense se fonde en partie sur la pertinence des suggestions du cosmopolitisme institutionnel ; il me semble en effet que les critiques que font les nationalistes libéraux de la démocratie cosmopolitique ne sont pas imparables. En ce qui concerne la question du constituant approprié par exemple, j'ai suggéré qu'il est inadéquat d'assumer *a priori* un *demos* prédéfini ; de même, il n'y a pas de raisons de penser que les solidarités transassociationnelles caractéristiques de l'État national ne puissent être construites à d'autres niveaux. La principale limite, en fait, des propositions cosmopolitiques actuelles se situe au niveau des droits collectifs des nations minoritaires et minorités nationales : le cosmopolitisme semble accolé à l'autonomie individuelle et n'a pas encore explicité comment rendre compte des droits des peuples dans un cadre de gouvernance multiscalaire.

Et c'est en fait une thèse sur les identités qui sous-tend la critique nationaliste libérale du cosmopolitisme. J'ai suggéré que c'est là l'une des questions fondamentales que fait ressortir cette critique, bien que je n'aie pu l'aborder spécifiquement comme telle ici. Cependant, les remarques que j'ai faites sur la citoyenneté et la démocratie, comme les travaux (ceux de Keating par exemple) sur le plurinationalisme, ouvrent déjà une piste importante de réflexion sur cette question. Les balises de cette réflexion semblent, dans l'état actuel des choses, devoir être les suivantes. D'abord, les identités nationales sont des construits ; même s'il serait trop schématique et simpliste de soutenir qu'elles ont toujours été intentionnellement élaborées dans l'optique de soutenir les solidarités citoyennes dans l'État, c'est tout de même l'une des fonctions importantes qu'elles ont remplies. L'idée moderne de nation a été utilisée, dans les faits, pour soutenir les solidarités transassociationnelles dans l'État et a contribué à renforcer la différenciation issue de l'idéal de la souveraineté territoriale. Mais si d'autres espaces politiques émergent, alors on peut fort bien penser que les institutions peuvent contribuer à recréer d'autres niveaux de solidarité et de coopération, ainsi que je l'ai expliqué au chapitre 3. Ensuite, les travaux de Keating montrent la possible relativisation de l'importance de l'identité nationale dans un contexte où les identités semblent en fait (on parle ici des nations sans État, sur lesquelles portent ses travaux) devenir plurielles. Enfin, j'ai aussi suggéré que s'annonce peut-être un changement paradig-matique dans notre conception du sujet et de l'ordre politique, chan-gement caractérisé non seulement par la réflexion sur les identités mais aussi sur l'espace social et les ordres normatifs. C'est dans ce cadre que doit se comprendre l'interrogation de Walker sur la pertinence de conserver notre conception actuelle de la citoyenneté, ancrée dans la conception moderne du sujet et par conséquent dépendante de ses postulats anthropologiques et épistémologiques[3]. Si Walker a raison d'affirmer que notre conception de la citoyenneté est enracinée dans la conception moderne (dualiste) du sujet, ne

---

3. Walker explique que les fractures dessinées dans l'Europe des débuts de la modernité séparent le sujet du monde naturel, et le citoyen à la fois des ambitions des papes et empereurs (« au-dessus » en quelque sorte) et des étrangers (à l'extérieur). Il ajoute que « [l]'aspiration à la réconciliation, que ce soit entre l'"homme" et le "monde", ou entre l' "homme" et le citoyen, n'a jamais été effacée par la réalisation moderne qu'est la particularisation des subjectivités, qu'elles soient individuelles ou étatiques. Au contraire, notre ambivalence par rapport à nos subjectivités modernes, notre incertitude quant à la possibilité pour le sujet connaissant de réellement connaître l'objet qui lui est extérieur, tout autant que notre incertitude quant à la possibilité que notre individualité ou notre participation à des communautés spécifiques puisse jamais être conciliée avec notre sens d'une communauté plus large (éthique, planétaire ou de l'espèce) extérieure à nous-mêmes, est ce qui guide la formulation qui nous est propre des problèmes politiques et philosophiques » (R.B.J. Walker, « Citizenship after the Modern Subject », *op. cit.*, p. 180-181) (traduction de l'auteure).

peut-on pas comprendre certains des débats actuels comme correspondant à une remise en cause de cette conception[4]? C'est notamment à cause de l'éventualité de ce changement paradigmatique que les discours qui déplorent la fragmentation (en chargeant ce terme du sens de la perte des valeurs, d'un ordre social stable et d'un espace sociopolitique hiérarchisé, dominé par l'État) me semblent inadéquats. Le contexte actuel soulève donc trois questions fondamentales du point de vue des identités politiques, soit la manière dont les identités sont politisées, la nature des liens de coopération et de solidarité, et les modalités et formes de stabilisation de la dynamique d'ouverture et de fermeture autour de nouveaux repères.

La conception moderne du sujet et l'unité idéologique de l'État territorial souverain sont étroitement liées. C'est dans la conjonction de ces discours que reposent le confinement de la démocratie et des principales obligations politiques à la territorialité étatique, et les entreprises d'assimilation des minorités nationales. C'est bien davantage la forme organisationnelle de l'État unifié que l'idée de nation qui apparaît problématique, lorsqu'on comprend bien les rapports entre ces phénomènes sur le plan historique. La remise en cause de l'unité idéologique de l'État territorial souverain apparaît ainsi prometteuse, non seulement parce qu'elle ouvre de nouvelles perspectives sur le plan de la démocratie et de la justice globale, mais aussi parce qu'elle permet de penser autrement les rapports entre nations. C'est pourquoi je voudrais terminer en illustrant par un exemple issu du contexte québécois les possibilités qui se présentent à ce niveau.

---

4. Jocelyn Maclure par exemple a suggéré la nécessité de sortir du cadre moderne de compréhension de la différence, tant dans sa version hobbesienne (où la production et la reproduction de l'identité et de la différence passent par la réification de l'autre) que dans sa version hégélienne (où l'identité absorbe la différence); dans les deux cas, en effet, la différence est condamnée à disparaître. La possibilité de la penser autrement résiderait dans une déconstruction de la relation binaire entre le soi et l'autre, ce qui exige de reconnaître que la différence est endogène à l'identité (Jocelyn Maclure, *Récits identitaires. Le Québec à l'épreuve du pluralisme*, Montréal, Québec Amérique, collection «Débats», 2000).

Certains traits de l'évolution récente des rapports du gouverne-ment québécois avec les communautés autochtones s'inscrivent en partie dans la perspective d'une remise en cause du caractère mono-lithique de l'État souverain traditionnel, modèle qui, comme je l'ai expliqué, permet difficilement d'établir des rapports de nation à nation et de fractionner la souveraineté en son sens classique (cette évolu-tion récente devrait aussi donner lieu à des rapports plus équitables sur le plan de la justice sociale). On peut interpréter de cette manière cer-tains aspects des récentes initiatives du gouvernement du Québec et de certaines communautés autochtones vers l'institutionnalisation poli-tique de la reconnaissance des Premières Nations en tant que *nations* à l'intérieur de l'État québécois. En effet, bien que la souveraineté de la Couronne soit réaffirmée (soutenant ainsi l'intégrité du territoire)[5], le gouvernement du Québec tend à vouloir traiter de nation à nation, tant avec les Cris, grâce à la Paix des braves, qu'avec les Innus dans le cadre de l'Approche commune[6].

La Paix des braves et l'Approche commune symbolisent la reconnaissance des groupes autochtones en tant que nations; elles fondent l'accès à un certain degré d'autodétermination ainsi que l'association de ces nations au développement du territoire. Au-delà des considérations utilitaires ayant motivé les négociations, on ne peut négliger l'importance de la reconnaissance qui prend forme dans ces ententes. J'utiliserai ici à titre d'exemple l'Approche com-mune, qui continue de faire l'objet d'âpres débats au Saguenay–Lac Saint-Jean et sur la Côte-Nord, et qui doit mener en principe à la ratification d'un véritable Traité entre les gouvernements fédéral et provincial et certaines communautés Innues.

---

5. À cet égard, on pourrait diminuer l'importance de l'entente en insistant sur cet aspect et sur tous les compromis qu'elle incarne. Si j'utilise cette entente comme exemple, ce n'est pas parce qu'elle est parfaite, mais bien parce qu'à mon sens elle constitue un pas important vers la reconnaissance des Premières Nations et vers une conception plus riche des rapports entre communautés politiques.
6. Les communautés innues n'ont cependant pas négocié en bloc et l'entente de principe évoquée ici concerne quatre d'entre elles.

Certains aspeects de l'entente de principe signée par le gouvernement du Québec et quatre communautés innues du Saguenay–Lac
Saint-Jean/Côte-Nord vont en effet dans le sens d'une association
constitutionnelle multinationale écartant certains des principes
associés au modèle conventionnel, unifié, de l'État moderne. J'en
mentionnerai quatre. Premièrement, l'entente ne se fonde pas sur
l'extinction des droits ancestraux (y compris le titre aborigène),
contrairement à ce qu'exigeaient habituellement les gouvernements
lors de négociations avec les peuples autochtones ; le Québec répond
ainsi à une exigence fondamentale de la Commission Erasmus-
Dussault[7]. Les Innus seront d'ailleurs libérés de la tutelle du gouvernement fédéral. Deuxièmement, le régime territorial prévu dans
l'entente est de nature complexe. Les terres accordées aux Innus en
pleine propriété (*Innu Assi*) ne représentent en effet qu'environ
525 kilomètres carrés pour trois de ces communautés (Mashteuiatsh,
Essipit, Betsiamites) et 2510 kilomètres carrés pour Nutashkuan, sur
un territoire ancestral (*Nitassinan*) d'environ 300 000 kilomètres
carrés. Les terres en pleine propriété constitueront l'assise territoriale
de l'autonomie gouvernementale innue et le lieu principal de l'exercice de l'autorité autochtone ; cependant, certains pouvoirs (notamment en matière de droit de la famille) auront (sous réserve d'une
acceptation volontaire des individus concernés et pour autant que les
lois visées soient compatibles avec les lois du lieu en la matière) une
portée personnelle plutôt que territoriale. Les droits accordés sur le
territoire autre que les terres en pleine propriété sont beaucoup plus
limités (par exemple, la pratique des activités traditionnelles, la
participation à la gestion des ressources naturelles, un volume de
bois réservé). Sur le plan territorial, donc, une solution complexe
évite de faire de la possession du territoire un jeu à somme nulle ;
cet aspect devrait faciliter la coexistence avec les utilisateurs allochtones du territoire (par exemple, pour les activités de chasse et de
pêche). Troisièmement, l'entente prévoit un processus continuel de

---

7. Commission royale d'enquête sur les peuples autochtones, *Rapport de
la Commission royale d'enquête sur les peuples autochtones*, Ottawa,
1996.

dialogue et de révision ; en outre, le traité porte sur l'effet et les modalités d'exercice des droits ancestraux, sans les définir ni en déterminer l'assise territoriale (voir le projet de préambule). Enfin, l'entente stipule, sur la base du droit inhérent à l'autonomie gouvernementale, que chacune des Premières Nations adoptera sa propre constitution, suivant un processus démocratique[8].

On peut voir ici un pas vers ce que James Tully appelle le « constitutionnalisme élargi », fondé sur la reconnaissance mutuelle, le consentement et la continuité culturelle, principes qui doivent guider les négociations interculturelles sur des formes justes d'association constitutionnelle[9]. Dans le cadre de l'argument développé dans ce livre, il faut surtout souligner que cela contribue à soutenir une conception plus diffuse, moins monolithique, de l'exercice de l'autorité politique et de la souveraineté. Avec la paix des Braves et l'Approche commune, le Québec s'éloigne d'une représentation unitaire, réfractaire au multinationalisme, au profit d'une vision qui tend à être celle d'une association souple, asymétrique et plurinationale. Bien entendu, ces mesures de reconnaissance soulèvent toujours nombre de réticences, de sources variées, dont certaines s'ancrent dans une conception universaliste et homogénéisante de la citoyenneté.

Nous avons été habitués à poser l'État comme absolument nécessaire pour assurer l'ordre social et canaliser les rapports à l'échelle internationale. Mais l'histoire de l'État est aussi l'histoire de nombre de violations impunies des droits humains, de l'assimilation de nombreuses minorités nationales, de la perpétuation de la loi de la jungle dans les rapports entre populations. Je ne dis pas que l'État est le seul responsable de tous ces maux, ni que sans l'État moderne les rapports entre populations eussent été parfaitement pacifiques. Je crois néanmoins qu'en tant que forme d'organisation des rapports sociopolitiques, l'État doit, au regard de ses limites et des contraintes

---

8. *Entente de principe d'ordre général entre les Premières Nations de Mamuitun et de Nutashkuan et le Gouvernement du Québec et le Gouvernement du Canada.*

9. J. Tully, *Strange Multiplicity, op. cit.*

qu'il pose (particulièrement à l'heure actuelle), être dépassé ; en d'autres mots, qu'on peut (et le contexte actuel nous fournit des occasions propices de le faire) redéfinir la manière d'organiser les communautés politiques de manière à essayer de pallier les défauts du système actuel, particulièrement en ce qui touche la démocratie et la justice. L'histoire de l'État est l'histoire d'un formidable espace fonctionnel et d'organisation des communautés humaines qu'il est probablement plus que temps de remettre en cause pour pouvoir articuler une conception neuve de la démocratie et travailler à établir un minimum de justice politique à l'échelle globale.

Imprimé au Canada par
Transcontinental Métrolitho